谨以此书献给

义和团运动一百周年

愛國者勿忘國恥

義和團民之先覺

紀念義和團運動一百

周年

愛國者勿忘國恥

二十二年夏

顧召田王學仲題

位于河北威县沙柳寨村的义和拳议事厅，是当年赵三多等
义和拳首领计议军机大事的场所。

义和拳首次起义遗址——蒋庄马场

梨园屯教堂（1900 年后重建）

赵三多领导义和拳首次起义所用的
"助清灭洋"旗帜和部分武器

厦头寺起义遗址（巨鹿境内）

赵三多之墓

《义和团之源起》编辑委员会

义和团之源起

主编：窦孟朔　顾自忠

国际文化出版公司

义 和 团 之 源 起

主编:窦孟朔　顾自忠

责任编辑:侯爱英　装帧设计:曲　直

版式设计:赵　锐　责任校对:侯爱英　乔治

出版发行:国际文化出版公司　（北京安定门大街40号）

经　销:新华书店

印　刷:河北南方印刷厂

版　次:2000年9月第1版　2000年9月第1次印刷

开　本:850×1168毫米 1/32 开

字　数:210千字　印张:8

印　数:1—1000册

书　号:ISBN7-80105-625-6/I·208

定价: 26.80元

序

陈 振 江

值此义和团运动百周年之际，河北威县县长窦孟朔和前县长顾自忠主编的《义和团之源起》一书出版问世了。这是纪念义和团运动百周年最好的献礼，也是近年来关于义和团运动研究的一项有价值、有新意的成果，这对推动义和团研究的进一步深入大有裨益。

晚清时期，直隶（今河北）威县和山东冠县及其周围的州县和村镇是义和团运动的发源地。1898年（光绪二十四年）10月，威县沙柳寨著名的梅花拳拳师赵三多和冠县梨园屯（今属威县）素习红拳的阎书勤等人以"十八魁"为骨干，在冠县蒋家庄（今属威县）率领义和拳起义，擎起"助清灭洋"的大旗，成为义和团运动的起点。这次起义的显著特点一是"助清灭洋"的旗帜鲜明；二是斗争目标已由单纯杀洋灭教的反洋教斗争发展成为以"洋鬼子，全杀尽，大清一统定江山"为目的的反帝爱国运动，但带有严重的盲目排外性。1899年阎书勤牺牲后，赵三多率众时隐时现地活跃在直隶中、南部地区，成为直隶义和团运动的一支重要力量。义和团运动失败后，直隶广宗县武举景廷宾于1902年4月聚众起义，初战失利，遂率众到钜鹿厦头寺与赵三多汇合，并在寺前高高竖起"扫清灭洋"和"官逼民反"两面大旗，起义队伍迅速发展到三四万人。景廷宾被推为"龙团大元帅"，赵三多被推为"主将"。不久，这次起义惨遭中外反动势力镇压而失败，赵三多身陷图圄，英勇不屈，绝食而亡。赵三多这位扛鼎揭旗之士经历了义和团运动风雨沧桑的悲壮历程，从揭开义和团运动的序幕，到"扫清灭洋"酷烈战斗的腥风血雨的洗礼，几乎都有他留给后人的英勇事迹。因此，作为义和团运动发源地之一的威县和义和团著名首领人物的赵三多，在义和团运动的历史上有着显著的贡献，占着特殊的地位，很值得深入研究。这是全面认识义和团运动的一个关键性的问题。

特别是威县、冠县及其周围的广阔地区，历来是各种拳种、刀会和团练最活跃的地区，而且教堂遍布城乡，民教矛盾尖锐，地方官吏大都袒教抑民或敷衍塞责，民众怨恨难伸，性命难保，普通民众纷纷聚集在各种拳会、刀会或团练的旗帜下，以各种形式自卫和抗争，争相响应义和拳起义，并在斗争中迅速统一在义和团的名号下，形成声势浩大的义和团反帝爱国运动。因此，冠县和威县等山东直隶交界的各州县的社会状况和这里兴起的义和团运动具有相当明显的典型性和特殊性。然而义和团运动的高潮却在京津地区形成，抗击八国联军最酷烈的战役和主战场则在京师的门户天津地区，义和团运动期间杀害外国传教士和教民最多、最残酷的地区是山西省，而作为义和团发源地的山东直隶交界处的广大地区则相对的平静，就连赵三多率领的义和拳也少惊人之举。但在"扫清灭洋"的号召下，这里的民众却义无反顾地蜂起响应，一度成为抗击中外反动势力的主战场。以上这些复杂的历史现象变幻莫测，成为义和团运动研究中又一道重要而复杂的难题，也是义和团研究中多有争议的论题。

可喜的是，威县为隆重纪念义和团运动百周年，由窦孟朔和顾自忠及其同仁合作编著的《义和团之源起》的出版，为深入探讨著名的义和团首领赵三多和他领导的义和团运动，以及义和团的源流和义和团在山东直隶交界处兴起的社会背景等重要课题，提供了有价值的研究成果，珍贵的口碑资料、实地调查资料、碑刻资料以及内容精详的赵三多年谱和传略、难得的义和团遗物考辨和专家学者论著的摘要，内容丰富多彩，弥足珍贵。这部书充分体现了义和团的故乡人论述义和团历史、集结义和团资料和深入义和团运动研究中的历史悬案与开拓新的领域等方面的实事求是的精神。因此，它不仅是一部有新意的学术论著和珍贵史料的集结，也是一部爱国主义教育的好教材。我深信，它的价值和贡献，将会得到读者和研究者的认同和好评。谨序。

2000年8月22日

（作者系中国义和团运动史研究会会长 南开大学历史系教授）

前　　言

　　伟大的义和团运动是一场反对帝国主义侵略，捍卫中华民族独立的革命运动。它的兴起，是19世纪末20世纪初，帝国主义加紧侵略中国，民族矛盾空前激化的结果。是自鸦片战争以来，中国人民前仆后继反侵略斗争的继承和发展。义和团运动直接有力地打击了帝国主义侵略势力，显现了中华民族蕴藏的巨大力量和不畏强暴、不怕牺牲的英雄气概，起到了阻止帝国主义列强直接瓜分中国的历史作用；在"狠狠教训了帝国主义侵略者"的同时，客观上动摇了封建统治的基础，尤其运动后期把斗争矛头直接指向了腐朽的清王朝统治，消弱了它的统治力量；促进了中国人民的觉醒，推动了民主革命高潮的到来，成为"五十年后中国人民伟大胜利的奠基石之一"。

　　经过史学家们多年艰辛严谨的研究和考证，认定义和团运动起源于河北省威县。1898年10月，义和团领袖赵三多，首先举起"助清灭洋"的旗帜，率众于威县蒋家庄马场（时属山东冠县在威飞地）祭旗起义，揭开了波澜壮阔的义和团运动序幕，成为运动之先声、燎原之星火。赵三多和他领导的义和团，以其起事最早、历时最长（1898年10月—1902年5月）、活动区域最广（涉及冀南、冀中、京津和鲁西北地区）、声势最大（从"助清灭洋"到"扫清灭洋"三次起义，义旗一举，影响巨大，震惊中外），在义和团运动中起到了旗手、先锋和主力军作用。

　　今年是义和团运动百年大祭。为纪念这一可歌可泣的反帝爱国运动，缅怀义和团英勇悲壮之业绩，慰藉报国赴难先烈之英

1

灵，我们策划编印了《义和团之源起》这本书，书中收录了威县几位多年从事义和团研究者的研究成果。同时，收录了史学界专家、学者对赵三多和他领导的义和团的论述。所述史料翔实，论据充足，廓清了义和团运动发生发展之端脉，是极富史料价值的论著文集。

回顾历史、研究历史，在于以史为鉴、借古开今。义和团运动为中华民族的独立做出了不可磨灭的历史贡献，给我们留下了宝贵的爱国主义精神财富。由于时代和阶级的局限，义和团运动存在着一些难以避免的严重弱点和失误，这也是我们应当汲取的教训。诸如在坚决反对帝国主义侵略的同时，表现出笼统的排外；对封建统治者抱有幻想，对其反动本质缺乏认识，导致最终被出卖和镇压；信仰中带有浓厚的迷信色彩；组织形式落后、松散等。义和团运动的失败，使我们充分认识到，任何正义的斗争，都必须有正确的思想作指导。尽管那时农民中蕴藏着极大的革命力量，是反帝反封建的主力军，但由于它还不是新生产力的代表，缺乏正确的指导思想，没有形成一个严密的组织和统一领导，不可能独立完成反帝反封建的历史任务。面对历史这面镜子，我们更加深刻地认识到落后就要挨打的道理。中国近代史是中华民族积贫积弱，倍受外国列强欺凌的血泪史。我们一定要时刻牢记江泽民同志"中国近代史昭示我们，要改变贫弱受欺、落后挨打的历史命运，就必须奋起抗争、奋发图强"的教导，高扬起爱国主义旗帜，激发起爱国报国热情，励精图治，团结奋斗，加快建设现代化强国的步伐，使中华民族真正雄立于世界民族之林。这也正是我们出版这本书的目的所在。

1998年，纪念赵三多首次起义百周年时，我们就想出版一本文集以示纪念，但因故未能如愿。两年后，恰逢义和团运动高潮百周年纪念之际，《义和团之源起》一书终得问世。

书中文章涉及的人名，由于当时官方档案所记不一，故作者所用不尽相同。论文中有些观点迄今尚无定论，作者各执一说，我们也不强求化一，姑且诸说并存，以期专家学者进一步研究。

编 委 会

2000年9月

目　录

义 和 团 的 缘 起

郭栋臣

山东冠县城西北130公里，隔馆陶、临清二县，有18辖村，即谓飞地也。内有一梨园屯（今属威县—编者注），于清咸丰年间，该村有一李成龙者捐闲宅一所，约有三亩，村人修立玉皇庙一座，设义学一处。清光绪十三年，不料教民王老尊、阎振东与神父梁宗明（法国人）率领教民三四十人将庙拆毁，将神砸坏，改修天主教堂。村民大动公愤，敢怒不敢言。当时村中有气节之士号召村中多人公推王世昌（文生）、姜老亮等6人讼于冠县。县官明知理直，不敢违抗神父，遂将王、姜等6人严加斥责，并将王世昌文生"革除"。他6人又告到府，又被官府驳斥，又往省告去，省又转县，他6人再无办法。官司打了二年，庙仍未争回，用款不少，亦无法由村中支出，只得卖地还帐。天主教民自觉官司打胜，计划修堂。村中有侠义之士，谓官已不论法，我们就无以守法，以武力护庙。又有阎书勤、高元祥、马廷风、高凤岐、刘宝玉、阎明鉴、阎士林、阎四等18人，即后称之十八魁者，邀动全村民众助威。如武力斗殴，他18人带头，如打死人他18人偿命。教民见事不好，跑到外村，教堂也修不成了。到光绪十八年，冠县县官何世箴，又亲自到梨园屯，邀请四乡绅士与邻县曲（周）、威（县）、清（河）、临（清）四县绅士40余人调解上事，教民不让步，村中不应。县官答应捐白银300两，钱两千吊，另买地一块，修庙兴义学请教师，开光唱戏，不叫村中用钱。村中仍不准盖堂。光绪二十一年，东昌府知府洪用舟带兵到

1

梨园屯，谓不准村中修庙，亦不让教民盖堂。光绪二十二年，村中人还不平，阎书勤十八魁等久申不愤。威县城东30里沙柳寨村，有一赵三多字老祝者，系梅花拳教师，徒弟就有2000多，连师兄带徒侄徒孙等有3000多人，慷慨义气，惯打抱人间不平。当时天主教徒，俱是地痞无赖及失势的恶霸土豪，专门仗教欺人，讹诈良民，赵老祝看不惯，乃以理调处，但教民不应，亦强硬力争，与教民起了几回诉讼。各县衙门班房皂役中赵老祝的徒弟最多，天主教徒也未胜诉。十八魁等即拜赵老祝为师，赵先本不愿收，经各徒弟再三介绍，又经十八魁屡次恳求，这才收下。天主教徒听说十八魁都在了梅花拳，教民随即报告，神父要求政府派兵镇压。官府派了一哨兵，即在梨园屯驻扎，教民又扬言官府将派兵捉拿赵老祝。赵一听说此信，心想你们争你们的地，我收我的徒弟，我又未干涉你们的事情，我凑此开个大会，亮亮拳。赵老祝自知此举必然会生是非，为不牵扯梅花拳同仁，遂自立门户，改梅花拳为义和拳。光绪二十三年三月二十日，赵老祝就在梨园屯开了三天会，四乡周外20里以内者，都得到会，到会者有3000多人。官兵见人多，亦未敢阻，暗暗报给上级东昌府，由知府转给巡抚，巡抚派东临道道台陶三千、东昌府知府洪用舟、临清州知州王寿朋、冠县知县曹倜，还有邱县知县，5员官彻底调查，依理判断，庙还归庙，堂还归堂。五员官同到冠县北十八村干集镇（今属威县—编者注），将四乡各村之士绅，与邻近各县的士绅，赵老祝也在其内，共有45人集中议事。道台问村中与教民所争之地实际是庙是堂，众士绅说实际是庙，如此还是修庙；在村南边与教里另买一块闲地由教民修堂，公家出款，不用教里出钱。村中听说叫在此修庙，全村兴高彩烈，按田派款修庙，四乡也极其高兴，各村上布施、捐助，不两月将庙修起，唱戏开光。庙大门贴对联，上联是：山东济南五员青天，评情论事，开创千古大业；下联是：河南直隶万县善士，扶正黜邪，费尽多少苦心。大殿门上上联：知君臣大义，可以升阶入庙；下联：无父母重恩，不必拈香参神。对天主教按照庙地的方圆大小，在村南买一块地，神父心还不足。光绪二十四年春，神父到省里告诉。当时山东巡抚是张汝梅，下令驻在梨园屯的军队拆庙，逮捕了十八魁阎书勤等。梨园屯驻军原是同情阎书勤等人的，只照阎书勤放空枪，村中人民听到枪响，大家一齐出来，将阎救走。驻军则向上假说阎受重伤，性命不保；说庙不能拆，村民全出动了，四乡也都集此，军队只得退出。驻军的上级也照样报告到省，张汝梅随即派他的贴身队伍先锋队到梨园屯将庙拆毁，逮捕阎书勤十八魁与赵老祝等。赵等暂时隐避，暗地筹划。是年秋天八月十八日计划成熟，有赵的师父姚老起，师兄弟石三德、陈老旺，大徒弟项老胜、任长典、任占贵、任老敬，徒侄杨八、陈八等，各带众徒弟在冠县属蒋家庄（今属威县——编者注）马场一齐集合，祭旗起义，旗写"助清灭洋"，共3000多人，先到邱县属常家屯（今属威县——编者注）与张军打了一仗，互有伤亡，未分胜败。遂即张又添派队伍，取调盛军马队五营，在威县属侯魏村南打了一仗，步兵正面进攻，马队四方围剿，遂将拳民打散，马队追捕二三十人，将姚师父捕住，在冠县斩首，赵老祝潜逃，暗带徒弟数人，投亲访友，在外避难。光绪二十五年春山东巡抚毓贤出告示安民，拳徒才都回家。赵老祝等先到枣强县，各地一听来了杀洋教的义和拳老师赵三多，到处欢迎。赵由枣强到武邑，收徒弟教拳。在武邑教拳数月，晋州来请，正定也来叫，又到沧州，自此徒弟传徒弟，顺运河往北传遍，到处立坛开场。到光绪二十六年，清政府端王听到神拳避枪炮，与老糊涂徐桐、赵舒翘（清内阁大臣）等商议奏请西太后利用义和拳改为团，以战外国。京津一带烧教堂，杀教民，甚至扒铁路，毁电杆，酿成八国联军进攻北京，西太后挟光绪逃到西安，东南各省举两江总督刘坤一为联防照会联军互不侵犯。是年十月西太后下命令，西广总督李鸿章为全权义和大臣，与八国联军议和。李鸿章接到圣旨，交卸两广总督之即，往天津与八国联军议和。和约成立，内容是拆毁大沽口一直到北京炮台，京津一带准许外国驻兵，离北京20里不准清政府驻扎军队，清政府派亲王往各国道歉，赔款四万万五千万两。和约中有一条规定：神父传教不能干预词讼，教民诉讼不准用"教民"二字，哪国人归哪国政府所管，受哪国法律制裁。在和约未成立以前，十八魁阁书勤等与赵老祝又回冠、威二县，还带着一些人，宋赤子、宋金海、刘化龙等召集拳民数千，到处杀教民、烧教堂。山东巡抚袁世凯又派军队数千将教民打散，又捕获十八魁阁书勤等七八十人，在济南残杀，以买好洋人。光绪二十七年春，西太后、光绪帝回北京，降旨安民，清政府下命令各县摊派赔款。这年年景荒害，款不易派，大顺广道所辖27县联合均不摊派（光绪二十二年27县已成联庄会）。各县同说民间实苦，未令民间按亩摊，有的按本县官款官产，有请富户买公债。只有广宗一县，县又穷，民又苦，县官催派赔款又急，每亩地谷三合，乡民抗违。有武举景廷宾者，广宗县东召村人，急公好义，在县极孚众望，众推他进县署。县令拒不纳。景又去见县令，即将其扣押。在此时间，李鸿章已死，袁世凯升直隶总督。光绪二十八年正月初五，乡团一见县令扣押景廷宾，大起公愤，全县民团集合见县令，搭救景廷宾，东召村文生刘永清说暂且慎重，吾先去见县官说明，若将景先生放出，即作罢论；若是不放，或者再将吾扣押，咱大家再去见县官。大众即依此见，刘永清即去见县令说明此事，县令将景也放出，乡团也撤出，乡民还是不交赔款。县官向上呈报：乡民叛变，款不能筹。袁世凯遂即下令，令正定、大名二镇台派兵杀剿。两镇与大顺广道，一见俱是乡民，不敢轻易镇压，设法慢慢筹款罢了。谁知兵已到，团又集合到巨鹿，以仇教为名，赵老祝也此主持一切，不抗官兵，两下互不侵犯。正赶天主教神父罗某由此经过，被围住枪杀，袁派

4

鲍贵卿、吕学申二人，在威、广二县招的新兵，穿着便衣从此经过，乡团以为是教民，枪杀数十人，袁得此报告，乃借题发挥，扩大事实，说大顺广所辖27县的乡民俱都叛变，遂派自己亲信队伍武卫右军马、步、炮、工、辎五种兵俱出发，炮兵统领段祺瑞为司令，步兵统领段芝贵为副司令，马龙标的前线总指挥，倪嗣冲为总执法官，冯国璋为总参谋长，往南一过南宫即开炮轰村庄，见村开炮，见人开枪，十八村及吴村、于化、王村、西台、东召、件只、牛村，共有20多村，枉杀百姓，死有数千，十二三岁的儿童，被刺刀扎死数十。景廷宾潜逃，只将赵老祝捕住，在南宫县惨杀。不到数日袁兵全胜而归，按功开赏，清政府西太后见汉人可靠，知袁兵可以平内乱，即令袁世凯练兵，特派庆亲王为练兵督办，袁世凯为会办，即成立北洋六镇。这就是义和团初起，袁世凯之祸国殃民，媚外求荣，扩展自己权势以造成北洋军阀之萌芽。

附：补充资料

第一节

在赵三多未起义前，有一游方道士，不言姓名籍贯，自称叫韩三瞎子，穿一破道袍，有数百补丁，春夏秋冬不换，长在永年、曲周、威县、肥乡、邯郸各地游历，与人诊病甚有经验。诊病时茶水不扰，诊好病亦不取分文，自己以化缘为生活，拿着一个缘布，叫人随心上布施，当时不要钱，几时修庙上捐钱。光绪二十二年，在永年县城东北40里下堡店村东修一座大庙，都是群众上的布施。后来又来了两个人，一个叫朱九斌，自称是朱明之后，一个叫刘化龙，自称是刘伯温之后，住在庙里，运动革命，排满兴汉，复明反清，运动梅花拳。永年邻近各县，练梅花拳的最多，都是永年县的徒弟，怎奈梅花拳不受运动，只有善古村姚文起接受运动。姚的声望小，辈次低，号召不起来，他是窑匠，常在临清县城西五里窑烧窑，听说赵三多反教声势很大，徒弟最多，就去投赵三多。姚与赵三多不认识，以同道关系，见了面彼此交谈，姚与赵两个人以叙辈次，姚高一代，赵三多称姚为师，二人心投意合，姚又将韩、朱、刘三人介绍给赵三多，赵甚欢迎。朱刘二人时常来赵家，赵、姚、朱、刘四人秘密行动，引起梅花拳同仁的不安，别的老师亦常来劝说赵三多莫听姚师傅的话，他的野心大，莫闹大乱子，我们的祖师自明末清初传道，到现在够十六七代，文的观香与人治病，武的练拳以壮身体，没有经过反乱事，事闹不成，便不能出头露面。开始人劝时，赵还假意听从，后来劝的人多了，赵就说了，我赵三多是骑虎不能下背了，我不干，天主教也就未必放我过关，诸位老师放心，我闹事决不碍梅花拳，以后若失败，我还想叫咱同道老师们隐蔽我哩，再不必劝我了。自此，也就无人劝他了，赵三多将这派改成义和拳，收徒弟，亮拳摆会，均挑义和拳旗号。

第二节

赵三多在侯魏村南边，被大军击散，2000多人跑的只剩二三百人，往南跑了30里地。跑到临清县城西留善固村，天也黑了，兵也不撵了，就在场里休息，叫老百姓将饭做熟了，他们吃完了，赵三多的长子桐凤就讲话了，他说：众位师兄弟们，咱们这算一败涂地了，官家出了告示，凡被引诱、威胁、强迫的都要回家度日，安分守己，一概免罪，不究已往，连我全家也免罪，罪归我父亲一人。咱们大家都回去安心度日去罢，我父亲也要远走高飞了。大众也说了话：我们要与赵老师同生死，老师走到那里，我们跟到那里，虽死而无憾。赵三多站起来也就讲了，他说：你们要这样办，咱们是自找灭亡，只要你们不害我姓赵的，

6

我岂能肯害你们呢？你们暂且回家，存心忍耐，只要我死不了，咱从来二回。这回败之于南，再次就胜之于北。你们暂且回家存着劲吧，不用二年，还再来二回。说了话，众人都散去。赵三多带着十几个亲近徒弟，也就走了。

第三节

赵三多离了众人，赴北方滹沱河以北与运河两岸各县，游走了一遍，朱九斌、刘化龙二人在保定以北、北京以南亦有些势力，有涿州、良乡、固安、大兴各县与赵三多的势力联在一起。光绪二十五年四月初八日，凑着佛爷生日，烧香为名，在正定大佛寺开了个秘密会议。到会者都是各县各场的重要师傅头。赵三多先把起义经过与失败的原因报告一遍。失败的原因是运动未有全面成熟，有起来的，有未起来的，再是地方开去的军队也多，有盛军马队五营，正定马队三营，大名练军步队五营，山东又开去步兵五营，官兵不认真打，若真打，一个也跑不了。捕住30多人，又放了20多个，姚师傅被残杀啦。当时在阵上只死了5个人，还有自己藏在秋秸里烧死了一个。赵三多报告完，众人都摩拳擦掌地说：不怕失败，就怕灰心，不怕他凶恶，赵师傅你只要不灰心，咱干二回，你看你走这趟，未有一处不助劲的。赵说大家助劲是助劲，以后咱要改变方法，怎样往前干。有一个姓李的，是河间县人，他说我有一个办法，现时静海、青县、东光、南皮各县，有红门暗里秘密吃符念咒，练的叫铁布衫，刀枪不入，能以避火，不怕洋枪大炮，每天夜里练，他们那个拳本不明，系白莲教根，现时老百姓很信他们，他们的宗旨与我们同是一样，与我们本不通气，不妨我们凑他一步，我们学那个办法，我们义和拳是明的，到处能亮拳开会，他与我们一气，也能光明正大的摆会亮拳，他们无有不愿意与我们联系，老百姓也都信任他们。这就好往前进行了。姓李的说罢，刘化龙就说：李师兄这个意见很好，京南这几个县，白门与黄门已联络红了，只未说同场摆会亮拳。有一姓赵的说：咱们就这样办吧，赵师傅你看怎样？赵三多说这样很好，咱们定名叫神助义和拳，只说练拳，保护自己的村庄，避免官家干涉，免说反清复明，排满兴汉，以免两面受敌。咱们各人进行一方面，李师兄你们担任交河、献县、静海、东光、南皮；刘先生你与朱先生、赵师兄你们大家担任京南方面；我与乜师兄就在滹沱河南北两岸与运河东西这两方；咱们说起都起，以后若有别的变动，即赶紧写信，即寄此地交老公先生移交（老公是僧道官，久住大佛寺）。将会开完，各人散去，只有赵三多又住了三四天，也走了。临走嘱咐老公说，你多费心，这个重担全仗你担。赵三多走后，到五月间就有设坛开场演拳的，官也不禁止，每年四、五、六、七4个月系民间演拳季节，亦是习惯，锣鼓喧天。到六七月间各村都有义和拳活动了，到十冬腊月各县普遍，官禁止也禁止不住了。报告上级派兵镇压，兵派了去，未闹成大事，亦无办法，只能说不要闹事。光绪二十六年四月初四日，赵三多在枣强县卷子镇南卷子包庄，借摆会亮拳为名，聚起千多人，征求众师傅头的意见，等众师议妥，大众即打起"助清灭洋，杀尽天主教"的旗来，即将临近的教堂烧了。有的教民听说义和拳摆会亮拳，自己作恶过多，抢先跑了的，也有被杀了的。往北到了景县朱家河，那是最大的堂子，随将这个堂子攻开消灭了。北京、天津、河间、通州等处的义和团，也都起来了，旗改称团。这到五月间，分成三股，赵三多带着一股，由运粮河西向南进攻。阎书勤带着一股，由运粮河东往南进攻山东恩县、夏津、武城，十二里庄留下一股，姓乜的带着仍在景州，赵三多带着人又转向晋州、无极、正定。到六月间，英日联军进攻天津，毅军奉调过娘子关，英日兵追毅军。追到正定，正遇着赵三多的人，赵与毅军两方配合，与英日军战抗一阵，英日军退回天津，赵带着人也向南走过滹沱河，由藁城、南宫、威县，将临清城西小芦教堂打开。有山东兵保护洋人退走，赵三多将小芦临近的教堂，梨园屯、小里固、红桃园、蒋陈庄（今属威县一编者注）各堂都打完，即去攻打魏村、潘村、赵庄、中管营四个教堂。这四个教堂，四角形势，均相距二三里路，互相声援，各堂均有二三千人到四五千人，又有外国人发给的小钢炮、快枪，外国人在里指挥。魏村与潘村均四面水围，赵庄有寨墙，均不易攻，只有中管营好攻，将中管营攻开，将堂烧了。也死人不少，又去攻魏村。魏村四面是水，北面与赵庄只离二里，赵庄又有钢炮，东面离前潘村只有二里路，快枪更多，攻更不易攻，义和团也攻不进去，给养也不好筹划，庚子年又是歉年，群众粮食亦困难，亦不愿供给，天主教有全体性命财产生死存亡之关系，最后山东联防军对义和团加以干涉，义和团亦都散去。

赵三多和他领导的义和团

顾自忠

义和团运动首先在威县发起，威县是义和团发祥地，这是中外史学界经过近五十年的努力，通过无数次的实地调查，翻遍那时中外官方文件和报刊及当事人的笔记、日记等资料，通过科学地分析论证，得出一致的结论，并写进了大、中专近代史的教科书里，还了历史的本来面目。

义和团运动为什么首先在威县发起，而不是在其他地方？国内外史学界的专家学者们从世界、中国、威县当时的政治、经济、军事、文化（包括民族的、心态的等）等多方面加以考察、分析、论证，一致确认了的。

一、事出有因

事出有因，绝非偶然。我们首先看一下那时的历史情况，就能一目了然。1840年鸦片战争，英帝国主义以他们的炮舰轰开了中国的大门，继英帝国主义之后，法、德、日、俄、美等帝国主义列强，相继对中国进行武装侵略。由于满清政府的腐败，每战必败，被迫同帝国主义国家签订了一系列的割地赔款丧权辱国的不平等条约，象南京条约、望厦条约、天津条约、北京条约等，形成了帝国主义瓜分中国的态势。

帝国主义列强的武装侵略遭到中国人民的反抗是必然的。威县地处内陆，首先接触的不是帝国主义的武装入侵，而是充当帝国主义爪牙的天主教、耶酥教的教会的传教士们的欺压和蹂躏，激起了人民群众以反洋教为主要内容的反帝爱国运动，这绝非偶然。

传教士们得以窜入内地的护身符是清政府同帝国主义签订的一系列不平等条约。据山东大学徐绪典先生综合考察，根据不平等条约的规定，"来中国的外国公民"、"商人"、"传教士"，都一律享有特殊权利。所谓特殊权利主要指的是"领事裁判权"，就是全体外侨都享有一国外交使节的特权，不受中国法律的管辖，具体说十九世纪末这种领事裁判权有三个主要内容：第一是外侨犯罪由外国领事组织法庭审理，按外国法律判罪；第二是中外人民间的词讼，名义上是外国领事与中国官吏共同审理，实际中国官吏只是"观审"；第三是外国船只和外人寓所，中国官吏无权管辖，如有中国犯人到外船或外人寓所潜匿，中国官吏不能派兵逮捕只能要求引渡。（《教会、教民和民教冲突——山东义和团运动爆发原因初探》第9页）传教士们得到了"领事裁判权"的保护不受中国法律制裁，就为所欲为，传教士的寓所、教堂，中国无权管辖，中国犯人逃到那里，中国政府不能去逮捕。传教士们还享有更高的特权，在政治上，官方明确规定：第一总主教或主教品位与督抚相同，摄位司铎、大司铎与司道同级，司铎与府厅州县同级；第二分别教中品秩与同级中国官吏相往来；第三教案发生时主教司铎转请护救国公使或领事官，同总署或地方官交涉办理，也可直接向地方官商办（见《教会、教民和民教冲突——山东义和团运动爆发原因初探》第11页）。有的外国传教士被清政府赏给三品或二品顶戴，象山东南境教区主教安治泰就列为总督一级。一般的外国商人和领事，只能在领事和经商所在的二十华里以内活动。传教士们依靠这些特权，持有"盖印执照"，可以进入内地，可以在内地购买土地或租赁土地，建造教堂或其他房舍。正因为传教士们有了这些特权，才得以窜入内地，强占或购买或租赁土地盖教堂，到光绪二十三年（1897年）仅威县一带接连建起教堂二十二座。九十二个村庄有了教民，那时我们这一带连年水旱灾害，加之帝国主义的经济侵略，大量农民濒于破产，割地赔款又加入群众的赋银。传教士们摇动橄榄枝，诱使一部分饥民入教以避免清政府的赋银，一些豪绅、恶霸、土匪藉入教逃避清政府的法律制裁。传教士们籍经营教产之名强占或买卖土地，出租土地或经商或放贷。象赵家庄的任老会就是依靠教会发展起来的地主兼商人。教会依仗自己的特权任意欺压群众，特别是他们干涉地方的内政，包揽词讼，给地方官只函片纸就可使不入教而与教会小有纠葛的群众入狱。据《威县志》记载："传教者不分良莠，一概收录，遂使不良分子名为入教，实则借教为护符。"特别是教会强行建教堂，强占各地的"义地"即村中的公共土地，这些"义地"原是学校或庙堂，这引起教会与当地群众之间的斗争，几乎各地屡见不鲜，梨园屯教案即庙堂之争所引起，下面还另介绍。

据《威县志》记载，到光绪二十四年即1898年义和团起义前夕，全县365个村庄16798户，76199人，共有土地821505.6亩，人均10.78亩。人均土地的数量不少，但沙碱地占2/3还多，没任何水利条件。每村只有一眼或三两眼砖井供人畜饮用，耕作又极粗放，只能望天收，产量极低，晒留麦（麦收后不夏播，晒一个夏天秋天再种麦）或春谷一亩收2石（200斤）就得唱丰收曲。威县志记载："织布、织带、轧花"，"农隙之勤苦，借此以维生计"。"出境货向以棉布为大宗。"农民除种地之外，所营家庭副业就是手工土织土纺，换取称盐买菜的钱。威县境内的老沙河、老漳河和东临县临清，清河的运河三年有两年决堤，连年水旱灾害，生活难以维系，正如县志记载："威县生计犹堪使想乎！"随着传教士的内地深入，帝国主义的经济侵略魔爪伸入到穷乡僻壤，特别是洋线，洋布的倾销，使得土织土纺濒于停产，加速了农民的破产，改变了自然经济的原有结构状况。前边已说过的帝国主义战败清政府，根据众不平等条约割地赔款的银两又统统加在农民身上，农民不堪重负。按那时的地亩和人口算，赋银、丁银、役银统加在一起二万三千二百二十九两，而仅光绪二十三年（1897年）梨园屯亮拳摆会后广平太守（威县属广平府）奉直隶总督之命来威县处理赔偿教民损失达八万两，这能不激起群众的义愤？那时威县经济的落后状况可见一斑。从政治方面看，威县还有一种极特殊的情况。那时在威县东部和东南并存着6个县113个插花地，即所谓境外"飞地"。属山东临清的十八村（实有15个，侯贯、桑园的一些村庄）、山东冠县的十八村（实际是24个，梨园屯、固献、干集、常庄的一些村庄）、直隶邱县的十八村（实有22个，柳疃、侯贯、王村、贺钊的一些村庄）、直隶南宫的十八村（实有15个，侯贯、桑园、柳疃的一些村庄）、直隶曲周的十八村（实有36个，第什营、白果树、枣园，邵固一些村庄）、直隶鸡泽县的鸡泽屯。这些"飞地"即"插花地"，花花插插从县边境西南的北刘村、苏庄到东北边境的团堤、孟村，长达150华里，一个县的"飞地"有的集中连片，有的又不连接，分为两片或三片。这种状况由来已久，直至本世纪四十年代人民政权建立才告结束，并入威县版图。考其形成的原因，要追溯很久。据广平府志和威县志记载，唐朝后期以来，鲁西北，冀南一带"群雄割据，土地得失靡常"，"宋时女真南侵，大河（黄河）以北多为金有。""元灭金，元大宗六年威县属威州"，而"威州旧治井陉"即现在石家庄地区的井陉，威县就是距井陉三百八十华里的"飞地"，自宋朝以来，这里"群雄割据"战争纷起，为抵御北方少数民族的侵扰常派有驻军，驻军有很多屯、营。这些屯营或"屯于各边空旷之地且耕且战"或"屯于各卫就近之所且耕且守"。后来原统领这一小片一小片的屯营的长官虽然已到某州县上任，但原统领的营屯就成了他的领地或叫作食邑地。这种一省一县之内存有两省数县的"飞地"的状况，极为罕见。这些"飞地"远距所属县，所属县难以管辖，鞭长莫及，又非所在县管辖，所在县无权管辖，统治极为薄弱，治安秩序常常是异常混乱，时常出现偷盗，强奸、放火、杀人等违法案件，当地管不着，而所属县不便于管，县与县之间你推给我，我推给你，在这个县所属地犯了法，逃到另一个县所属地，就谁也不管，逍遥法外了。这种政治上的混乱局面，正好为义和团运动的兴起提供了极为便利的条件。经济的落后、政治上的分散，带给这一带的是文化上的落后。这一带的居民，百分之七十以上是明朝洪武以后，由山西迁来的移民。在六个县一百一十三个"飞地"村庄中，至义和团起义前的四百五十多年里，仅出过几个"文生"（秀才）。儒教仅在少数读书人中奉行，尽管儒、释、道杂陈，绝大多数平民百姓，信奉道教的"玉皇大帝""老天爷"。认为人们的命运，生死休咎全由"老天爷"主宰。这样长期形成的传统的文化观念及心态，认为"洋人"所传"洋教"——天主教，耶稣教为异端邪说，这不能不是抵制天主教、耶稣教的文化心态的一个不可忽视的因素。《威县志》载：这一带"壤邻他省，时有匪患，为防御计，故尚武"。"尚武则民强"。"强身保家"、"自保身家"形成了习拳练武的风尚。梅花拳、大小红拳几乎人人演练，村村都设有拳场，赵三多是梅花拳名拳师，阎书勤是红拳的名拳师。在这样的政治环境中，极益于江湖豪侠和游民的活动，所以义和团起义时，呼号一出，南北东西即刻而至，动辄上千上万人。

从以上情况可以看出饱受苦难的人民特别是洋教、洋人给人民带来的灾难，真如同积满了干柴，仇恨帝国主义的火种在人们的心中已经萌动，时机一到立刻爆发。

二、庙堂之争

梨园屯教案是义和团起义一触即发的导火索。

梨园屯原属山东冠县的"飞地"，即冠县十八村之一。梨园屯的教堂由武城十二里庄堂所管辖。

梨园屯村大地主李成龙有十八顷地。他是廪贡，其弟李化龙官居州同。康熙年间曾捐献土地和闲宅基一所，本村其他富户亦捐了一些土地连同李成龙所捐作了义学地。除盖有义学之外，村民在此建了一座玉皇庙，作为本村和四乡敬神赛会的场所，后因年久失修，垣墙倒塌，到同治八年（1869年）村民有些加入天主教，提出要分义学田地建教堂。梨园屯三街（前街、后街、西街）会首同地保（村长）共同商议将义学田地按四股（三街和教民）均分，双方并无异议，签订了地亩分单。结案清楚，可后来教民们将地卖给了十二里庄教堂一传教的意大利神甫梁多明，要修教堂，继任神甫梁明德拿出150两银子让王杨张三姓教民买玉皇庙地基。为此，于同治十二年（1873年）梁明德神甫指使教民要在玉皇庙地基盖教堂，民教之争遂起，审定教民可以在玉皇庙地基上盖教堂。从这第一次民教之争可以看到教民仗教欺人，清政府偏袒教会的卑劣行径。

第二次民教之争是在光绪七年（即1881年）正月初九，梨园屯举行玉皇庙神会，群众挤开了教堂大门，教民与村民发生口角，可教民经神甫上报主教，主教要法国外交使节干涉，逼山东总署行文山东巡抚处理，他们将原玉皇庙地基归教民"暂行借用"，待另买地建堂后归还。清政府从总署巡抚到府、县屈服洋人，庇教嘴脸更清楚。

第三次民教之争是光绪十三年（1887年）传教士弗若瑟到梨园屯传教，买砖瓦木料，指使教民建教堂，并指使教民王三歪扩充教堂地基，引起村民公愤，群起而拆堂建庙。双方将发生械斗，经十八村绅士潘光美调停，王三歪表示愿将教堂强占土地归还村民盖庙，村里会首左建勋，刘长安也表示另买地为教民盖教堂，县令原以为没拆庙，可为息事，就同意了双方的折衷办法。

第四次是光绪十五年（1889年）十月，法使据天主教要求强调在原庙基建教堂，民教又发生争执。

第五次是光绪十六年（1890年）五月，法使又要山东总署督办了结此案。

第六次是光绪十七年（1891年）腊月，山东巡抚福润饬东昌府知府李清和将庙地让与教会盖教堂，冠县令何式箴捐银二百两让村民另买地盖庙。

从上述六次长达18年的（即从1873—1891年）民教之争，可以清楚地看到，帝国主义使节对清政府官吏气指颐使蛮横无理，清政府官吏据不平等条约对帝国主义的教会迁就退让甚至唯命是从，教会与教民背靠帝国主义，得寸进尺，步步紧逼，气焰何等嚣张！

这十八年中，几乎是年年月月教堂敲钟盖教堂，村民敲锣鸣炮拆堂盖庙，即使第六次的断理，教民们还经过神甫上报外国使团要抓背后不让盖堂的人，结果冠县县令派人把住庙道士抓走，这激起更大民愤。

为与教会交涉，三街已于光绪十三年（1887年）推出会首，六位会首俱是梨园屯村有名望的人士，人称之为六先生，事后也有人称六君子的。王世昌（文生）、刘长安（号老太、广生）、左建勋（捐班监生）、高东山（捐班监生）、阎德盛（武生）、姜汝能（捐班生员），他们代表梨园屯村民先上告到冠县县衙，县令何式箴表示管不了教会，严令他们限期拆庙把地基归还教会。他们气愤不过又上告到东昌府，知府洪用舟表示管不了教堂，王世昌义愤填膺当堂斥责洪用舟："非好民之好，恶民之恶，岂为民之父母？"洪用舟理屈辞穷，依仗知府权势将他们监禁起来，监押达半年之久。到光绪十八年（1892年）官司打了五年，耗费了钱财，还蹲了监牢，文人们参加的诉讼宣告失败，后人把"六先生"遭遇称为"六大冤"。

梨园屯村民们在拆庙盖堂，拆堂盖庙的反复斗争中，耳闻目睹了教会依仗帝国主义袒护教会不说正理，人人气愤难平，"六大冤"的遭遇激起群众更大义愤。原在前十八年的斗争中，已涌现出勇于斗争的"十八魁"，对老十八魁记载不清人们回忆也不甚清楚，对后出现的新十八魁，文字记载和人们回忆比较清楚，不过已超过十八人。十几年的斗争，必然中有更替，前后加在一起当然就超过了十八人，这就是阎书芹、阎书俭、阎书堂（亲兄弟三人）、阎书太、阎三妮、阎四妮（亲兄弟二人）、阎士林、阎铭监、阎二别种、阎福来、阎书香、阎兆华、阎广绪、阎广德、高元祥、高元太、高二叉子、高岐山、马廷凤、马廷梅、马步月、马天禄、姜宗山、刘三、刘保玉。这些人都是贫雇农出身，都是习练红拳的。教会都称"大刀"阎书芹，"长枪"高小麻（高元祥外号高小麻）。这二十五人中只有八人教务档案中没记载，但确实也都是反教会的骨干，是十八魁使枪持棍挥刀自发地领导着村民们拆堂盖庙，这样持续长达二十四年之久，因此他们被教堂视为眼中钉，教会通告官府要缉拿他们。这便激起村民推举十八魁率领大家以武力护庙，与教会继续斗争，而教会随着帝国主义瓜分中国，气焰更加嚣张。村民们觉得是可忍，孰不可忍，一场更大规模斗争，已迫在眉睫。

三、百折不挠

赵三多从首举义旗到被俘绝食而死，率领义和团跟"洋教"斗争不计其数，仅就三次大的起义举动足见其反帝爱国百折不挠。

赵三多，直隶威县沙柳寨人，姓赵名三多，字祝盛，号老祝。家有薄地三亩多、草房一间半。赵三多是梅花拳第十四代传人。梅花拳创于明朝末年，由第三代传人邹宏义北上义来到顺德府（邢台）广宗县魏家村，后迁到南和县三官殿，乾隆二十四年（1759）移居平乡县（平邑）马庄桥村定居。邹宏义北上寻父，经过河南滑县、长戈、内黄、山东曹县等县都收教过一些徒弟，所以鲁西南和豫北习练梅花拳的一直是很多。邹宏义定居平乡后

17

由本人和后人传艺，从平乡传到曲周、邱县、广宗、威县、巨鹿、临清等地，这就使梅花拳扩散到鲁西、豫北、直隶南部的广大地区，使梅花拳有广泛的群众基础。赵三多是梅花拳第十四代传人（这已由梅花拳拳谱所证）。他自幼习拳，豪爽仗义，慷慨义气，专好打报不平。他广收弟子，成为远近闻名的拳师，赵三多的家乡沙柳寨处在那许多十八村之中，距梨园屯八里路，去梨园屯赶集串亲，听到许多关于教堂强占庙地，欺压村民的事，非常愤恨，"六大冤"失败的冤狱、"十八魁"英勇斗争的事迹他又非常同情。

中日甲午战争之后，帝国主义加速了瓜分中国的步伐，教会更加趾高气扬，特别是山东主教安治泰又被清政府加封二品顶戴与山东总署列为同一级，借着这种权势，加紧了教会的扩张。他们紧逼东昌府和冠县催促办理梨园屯拆庙建堂事宜并要求抓获"十八魁"。"十八魁"与村民们感到与教会和官府抗争只一村的力量太单薄，他们知道赵三多行侠仗义，有徒弟两三千人，以阎书芹为首带领梨园屯习练红拳的几个重要头领，主动去沙柳寨拜赵三多为师，请求支援，赵三多慨然应允。光绪二十三年（1897年）清政府按照教会旨意派兵驻扎梨园屯，扬言要捉阎书芹等十八魁，要捉赵三多。赵三多听说后气愤难平，于三月二十一日召集三千多拳民摆会亮拳三天，向教会和官府示威。官兵见拳民人多未敢轻举妄动，随报告东昌府知府洪用舟和山东巡抚张汝梅，增派军队，围剿梨园屯，十八魁等英雄们猝不及防，虽英勇顽强拼杀，终因寡不敌众，不得不撤离梨园屯。教会指责东昌府冠县围剿不力，罢免了冠县县令何式箴，委任曹倜接任。

赵三多帮助梨园屯护庙拆堂，多数拳民认为是为中国人民出了一口气，但有的人怕因此招致杀身灭族之祸，赵三多说："我不杀洋人，洋人也得叫政府捉拿我，杀我，大家怕受牵连可以自便。"为避免牵累梅花拳，赵三多把他所属的这一部分梅花拳改为"义和拳",意即气相投,团结一起共同反洋教,从此就公开打出了义和拳的大旗。

赵三多领导的义和拳第一次起义

赵三多经与新加入义和拳的阎书芹和师叔姚文起(按梅花拳辈份论是赵三多的师叔,他家住临清姚楼,以烧窑为业,人称为烧窑师父),师兄弟石三德、陈志明、大徒弟项老胜、任长典、任召贵、任老敬、徒侄杨八、陈八,及永年的师弟朱九斌、刘化龙等,秘密筹划决定不用"反满复明"的口号,认为清朝统治已二百多年,再打出"反满复明"旗帜不合时宜,且洋人已进逼到家门口,应顺应潮流打出"助清灭洋"的旗帜,把仇恨集中在洋人那里,便于推动清政府一起反洋,以利于动员群众集中力量打击帝国主义,号召拳民和群众一起起来共同杀洋人,烧教堂。经过周密筹划和准备,于光绪二十四年(1898年)10月25日,召集三千多人马在冠县蒋家庄(现威县固献蒋庄)西边马场祭旗起义。10月25日,应是较为确准的,郭栋臣老人的回忆录写的是农历八月十八(10月3日),但这是六十年后的回忆。原赵庄教堂神甫伊索勒日记是10月25日上午十点钟。这是当时的记载,应为可信。伊索勒神甫所记是:他听说马场起义军杀进第三口教堂(属赵庄教堂管辖),惊恐万状,立即组织赵庄、魏村、潘村的400多名精壮教民,持洋枪、洋炮昼夜巡逻提防。冠县志载:"赵三多为头领,啸聚数千人,蔓延十余县,声威大振,风鹤频惊"。临清州上禀电文:"沙柳寨拳民聚众势欲滋事""乞速派营赴威。"《威县志》记载:"光绪二十四年秋沙柳寨义和拳民赵三多率拳民与天主教因庙地起争端","激成事变。"山东巡抚张汝梅上报叙述的情况是:"光绪二十四年九月十三日(农历)在冠县红桃园,邱县柳疃各聚二三百人,十四日在曲周大寨邀人借马到临清龙上固住宿,聚至四五百人。十七日,龙上固一股聚有五六百人,住红桃园等处,杏园村一股聚三四百人,马四五十匹……"这都是当时如实写照。起义军攻打第三口教堂后挥师南下，攻克红桃园、小里固教堂，又一气攻下临清小芦教堂。传教士们闻风丧胆，地方官吏怕惹恼洋人捅大漏子，惊恐万状，群众们欢欣鼓舞，给起义军烧水做饭。山东巡抚张汝梅亲率500人来镇压，官兵与义和团在常屯接火，双方互有伤亡，清兵较重，后来张汝梅又报山东巡抚派来马队三个营，步兵五个营。清政府指示直隶总督，派正定镇马队三个营，大名练军五个营，与张汝梅所率军队联合进攻义和拳，在侯魏村村南包围了起义军，步兵正面进攻，马队四面圈围，拳民阵亡四人，被捕捉三十多人，姚文起受伤被捕，队伍被冲散。赵三多带领二三百人突破重围向南撤退，到留善固后，被冲散的拳民也集中来了，赵三多怕清军再来围剿，为避免更多损失，动员大家暂且各回各家，说"头回败了再来二回，败于南可胜于北，只要我赵三多不死，大家再听信。"

第一次起义遭受失败，但已冲破一村一地的狭小范围，初步显示出有组织有领导的进行，如编队十人一班头目叫十长，百人一队头目叫百长，十人打三角小旗，百人打黄色旗，全军是黄色镶黑边的狼牙大旗，响亮的提出了"助清灭洋"的政治宗旨，矛头所向直指帝国主义。这在鸦片战争之后还是第一次，是群众性的自发性的爱国反帝斗争，大长了中国人民反对帝国主义的志气！

赵三多领导的义和拳第二次起义

第一次起义失败后，赵三多一面疏散隐蔽人员，保存实力积蓄力量，一面带领弟子北上枣强、武邑、景州等地，他以枣强卷子镇为基地，到处联络义和拳的人员，随后晋州、正定也来邀赵三多去传拳。赵三多和其弟子所到之处都是"欢迎山东师兄来设场"，后来徐水、涞水、清苑、保定也相继设了拳场，陆续仿效赵三多竖起"助清灭洋"大旗。与此同时，朱九斌、刘化龙也在北京以南保定以北的固安、良乡一带活动起来，形成南北彼此呼应之势。光绪二十五年（1899年）农历四月初八借佛祖（释迦牟尼）生日，以烧香为名，在正定大佛寺由赵三多召开义和拳的各路首领的会议，会议总结了第一次起义失败的教训，决定：一、改"义和拳"为"义和团"；二、扩大联队伍，联合静海、东光、青县、南皮等县白莲教中反洋教的"铁布衫"共同反教会；三、制定了严明的纪律——不准抢劫百姓，不准奸淫妇女，违者立斩；四、传出揭贴，号召人民群众共同反对洋人，其揭贴云：（旧时称张贴的启事叫揭贴）"神助拳、义和团，只因鬼子闹中原，劝奉教、自信天，不敬神忘祖先。男无伦女行奸，鬼子不是人所添。如不信，仔细看，鬼子眼睛都发蓝。天无雨，地焦干，全是教堂遮住天。神也怒，仙也烦，一同下山把教传。非是邪，非白莲，独念咒语说真言。升黄表，敬香烟，请来各洞众神仙，神出洞，仙下山，附着人体把拳玩。兵法艺都学全，要平鬼子不费难。拆铁道，拔线杆，紧接毁坏火轮船，大法国，心胆寒，英美俄法尽萧然。洋鬼子，全平完，大清一统锦江山。"直隶、山东、江苏、山西，远到黑龙江、四川，也都接到了这样的揭贴。五、确定主攻传教士的几个大据点、大教堂，这就是后边提到的景州朱家河教堂、武城十二里庄教堂、临清小芦教堂、威县赵庄教堂。

光绪二十六年（1900年）四月初四，赵三多在枣强卷子镇，再次举起起义的义旗，京南朱九斌、刘化龙，天津附近静海、东光、青县、南皮在南部直隶、山东交界处以常屯为基点的阎书勤纷纷响应，这时山东的红灯照也在山东平原、茌平、高唐、夏津等地起义。南北蜂起，形成一片。《威县志》记载："光绪二十六年拳民复起蔓延京津间，卒祸及大局""是岁大无，贫民无以聊生，争附合拳民。名为均粮，实则仇教。"光绪二十六年六月十九（1900年7月15日）攻打朱家河教堂，这一带的大教堂传教士集中几个县的教民，有枪有炮，防备甚严，晤修和尚和王庆一两次攻打不下而牺牲，后来由赵三多带领的这支起义军协同直隶、山东十几部人马，加上江西按察使陈泽霖练军炮轰才攻克，杀教民不下四千人，尽管牺牲了晤修、王庆一，但攻克一个大教堂大据点，对拳民和群众鼓舞很大。

朱家河教堂被攻下，义和团声势大振，武邑、故城、武城、德州一带的起义队伍也打起义和团的旗号，山东、直隶官府上报清廷都说祸根在山东"十八魁"老巢。

朱家河战斗后，赵三多人马分为三股，一股由乜头领留景州一带活动，一股由阎书勤带领由运河向南经山东恩县去打武城十二里庄教堂，一股由赵三多带领回师南下经南宫、威县去攻打临清小芦教堂。

光绪二十六年（1900年）六月十三日（公历7月9日）赵三多亲率人马进攻小芦教堂，那里驻有官员500多人，见义和团聚集来几千人，又增派三营人，也敌挡不住，在义和团凌厉攻势下，官兵不得不退出小子芦，保护传教士逃往济南，教堂被一火焚烧！

光绪二十六年（1900年）六月二十日（公历7月16日）阎书芹同牛豁子带领常屯一带拳民会同清河、故城、恩县、武城等地拳民攻打武城十二里庄教堂。前两年曾攻打过二十里庄教堂，但攻而不下。这个教堂备有很多洋枪洋炮，这里是山东天主教方济各会代牧区最早的主教堂，是鲁西北教会势力中心，到鲁西、鲁西北传教的教士都要由这里派出。官方记载："教则持有利器（指枪炮），以十二里庄为巢穴"。教会的持枪队"终日领队在附近各庄打粮，任意杀害，势极凶悍"。官方就这样憎恨它，何况群众？一说攻打十二里庄教堂，除阎书勤所带人马，运河以西集合起二千多人，运河以东集合起三千多人。教堂中有法国、意大利、比利时、荷兰的传教士，他们训练了上千名持枪的凶悍教徒，又有寨墙护围，义和团的大刀、长矛如何攻克得下？义和团攻打几天，没攻下这个教会反动势力中心，伤亡过大，只好作罢。从打朱家河教堂到打十二里庄教堂，教民们是由帝国主义的洋枪洋炮武装起来，指挥的又都是一些洋神甫。由此可见义和团起初直接面对的是教会和教民，外国传教士们还躲在背后没直接露面，而现在洋神甫们穷凶极恶，赤膊上阵，义和团就直接对凶恶的帝国主义展开了斗争。

赵三多打小芦教堂时，附近一带的教民逃往赵庄教堂，赵庄教堂原属献县主教区的大堂口，直隶南部的小教堂统归它管辖，也是一个反动教会的势力中心。义和团一心想拨掉这个钉子。赵三多攻下小芦教堂后，随又北上，带领人马驻扎大宁，集合临清、曲周、邱县等地拳民七八千人，于光绪二十六年（1900年）六月二十二、二十四、二十六（即公历7月18日、20日、22日）三次攻打赵庄教堂。赵庄周围有寨墙、壕沟，全村纯一色的教民，加之附近魏村、潘村、陈庄、项营、小营、余管营等村的上千名教民，集中堂内，持洋枪、洋炮对抗。久攻不下，炎热季节，人又多，粮草也不好筹措，长期转战，士气不振，为避免大的伤亡，赵三多下令暂息战火。教堂听说义和团后退，神甫指挥教民穷追不舍，抓住拳民统统把辫子拴大门槛上，用斧子把脑袋砸烂。他们得意忘形叫喊着"砸核桃"、"砸杏仁"，其状之惨可想而知。

在攻打教会几个大堂口即攻打直南、鲁西朱家河、十二里庄、赵庄、小芦几个教会巢穴中，义和团的拳民都是农民，长期转战疲惫不堪，伤亡不小（特别是十二里庄、赵庄两个大堂口，攻而不下，损失不小），锐气受挫，不得不暂息休整。赵三多、阎书勤返回沙柳寨、梨园屯一带。教会见有机可乘，照会清政府，令地方官吏带兵追剿义和团。光绪二十六年（1900年）七月二十二日（公历8月16日）清兵趁赵三多、阎书勤回来休整之机，突然发兵包围了梨园屯，拳民怎敌全副武装的四队人马围攻，宋狮子、高元祥突出重围败走，阎书勤同31名拳民被捕，带到临清被杀，年仅41岁。他从光绪十三年（1887年）参加斗争，到光绪二十六年（1900年），战斗了十三年，这样的英雄，终于倒在了中外反动势力的屠刀下，英勇悲壮，可歌可泣！

赵三多领导的义和拳第三次起义

第二次起义失败后，官府缉拿更紧，赵三多随潜往广宗、巨鹿一带以图东山再起。经过两次起义，虽然失败了，但他并不屈服，从两次失败中，他已清楚地看到，虽然提出的政治宗旨是"助清灭洋"，而义和团面对的敌人不仅仅是教会的洋人和教民，清政府尽管有人同情义和拳，也利用过义和拳，但到头来清政府屈服帝国主义，仍然是帮着帝国主义血腥镇压义和拳。这就是清政府对外卖国，对内镇压群众的丑恶狰狞面目！

《广宗县志》载："光绪二十六年（1900）年闰八月，义和团到广宗"。

广宗县东召村有一武举叫景廷宾，他本来武艺高强，为人仗义豪爽，好结交有识之士，因痛恶清政府的腐败无能，居家不仕，特为乡里人敬重。他很同情义和拳的英雄举动，所以赵三多到广宗他们一接触就很投契，密谋着再次起义。景廷宾接受赵三多的起义计划后，积极在广宗东召一带组织"乡团"。赵三多又到巨鹿去组织队伍。这段历史《广宗县志》载："迨后（指光绪二十六年八月），景廷宾混乱谋逆，……县上年三月五日（指光绪二十七年，公元1901年）魏祖德未经到任以前，该处（指景廷宾家乡——东召一带）已聚众两次……"这是起义之前的预练预演。

光绪二十七年（1901年）清政府为赔偿教会的损失，加重了人民的税赋。帝国主义教会为纪念民教之争而死去的义勇教民而出版的小册子《义勇列传》，其中一段最能说明这种情况："原来庚子年（八国联军攻占北京）拳匪仇教，八国兴师问罪，光绪与西太后避居西京长安，既而遣使求和。除答应外国之罚款外，内地之教民、教堂所受污害，又当赔偿。为此，清廷扎饬各州、府、县加重赋税"，当时广宗县知县王宇钧筹办未结被免；继任魏祖德令全县各村每亩摊京钱四十文，负担过重，民怨沸腾。乡民们公推景廷宾与县交涉，交涉无效，民众拒而不交。十一月景廷宾召集乡团操练于城外，一则用以号召群众，二则也是向知县示威。《广宗县志》载，袁世凯向清廷奏折中说："十月初十日各乡绅入城会商，独景廷宾因该村地保被县传拘，负气不到，竟于十二日传贴集众，在城外五里许试枪炮，声称阅边，哄动各村，所有地丁捐款概不交纳……景廷宾纠合本非专为摊捐，只以抗捐为名，以售号召之计耳。"景廷宾的举动使地方官吏慌了手脚，顺德知府窦如松亲来广宗并召见景廷宾，把赋税每亩四十文降为十四文或折交谷子二合。窦如松回府后，魏祖德认为窦如松施之太宽，声言全县欠款要景廷宾一人交纳。景廷宾不服，进县衙讲理，魏祖德知县扣留了景廷宾。东召文生刘永清带人闹县衙，解救景廷宾，赵三多派人与景廷宾联系，决定巨鹿、广宗拳民联合行动。魏祖德随报告直隶总督袁世凯，袁世凯命令要"缉其首要，解散协从"，派大名练军到广宗震慑。光绪二十八年正月十九日，顺德府知府窦如松来东召安抚民众，企图稳住乡团再行剿杀。正月二十四日大名、正定两练军来东召袭击乡团。景廷宾预有准备、率乡团迎战官兵，双方经过混战激战，刘永清负伤，不少团民殉难。乡团装备极差，难以抵御官兵，景廷宾率众向西北突围，赵三多前来接应，景赵两支人马会合于巨鹿厦头寺（沙陀寺）。群众纷纷响应，乡团已达数千人。官逼民反不得不反。他们经过商议，决定在三月十六日于巨鹿厦头寺宣告正式起义。接受前两次起义教训，不能再打"顺清灭洋"、"助清灭洋"、"扶清灭洋"旗帜，灭洋不能不反清，不反清同样也会死于清政府的屠刀之下。应视清政府与洋人沆瀣一气为洋人为虎作伥应一并扫除。所以这次起义打出的旗帜是"扫清灭洋"。这个口号的提出完全是从血的教训中总结出来的，充分反映了中国人民对中外反动派的觉醒，把义和团运动提高到一个崭新的阶段。

这次起义，景廷宾为大元帅，赵三多为先锋。起义军声势浩大，很快发展逾十万多人，正打算攻打威县、广宗、巨鹿时，正遇到袁世凯的武右军后营管带鲍贵卿由威县招常备军新兵百余人赴省路过厦头，被起义军战杀大半，委员典史钱德保，附生刘炳勋，千总吕孝申，把总赵登贵，五品官张俊均被起义军杀戮！鲍贵卿负伤逃回。三月十九日张庄教堂罗教士由大名府回程遇见起义军，罗及随从二人被杀，又于三月二十二、二十三日由景廷宾带领数万人围攻张庄，其声势如《重修张家庄保善寨碑文》所载："旗帐飘飘，炮响连天，杀声不断，凶险极矣。"袁世凯得知此事，急奏朝廷："景廷宾始则传贴聚众，抗打官兵，继则树旗告反，潜称伪号，共旗帜其至有'扫清灭洋'字样。"慈禧太后准奏并谕令袁世凯"尽法惩治，以免引起列强干涉"。袁世凯派遣亲信队伍武右军、马、步、炮、工、辎五兵种俱出发，以段琪瑞为总司令，倪嗣冲为执法官督军进剿。三月末清兵万余人进攻广宗件只景廷宾大帅府驻地，袁世凯亲临督战。官兵一过南宫，见人开枪，见村开炮，血洗村寨，三十多个村庄的几千名无辜百姓惨遭杀戮！数千名团民被杀。四月初二（5月9日）件只被清兵攻占，起义军骨干赵老贵，张学逊，邢老秘等壮烈牺牲，景廷宾突出重围，转移到武安北漳堡，原想再次起义，后被道员倪嗣冲追剿，到了河南属临漳县郭家小屯被捕，解往威县。于1902年7月28日被凌迟处死。赵三多突出重围，转移到巨鹿县姬家屯被俘，押入南宫监牢，绝食七天而死。这个宁死不屈的英雄终年62岁。至此，赵三多领导的义和拳三次起义，宣告结束。

赵三多和他领导的义和团运动在中国近代史上写下了光辉的

一页，这一历史功迹可以概括为四句话，即：起义最早，为时最长，活动区域最广，声势最大。所谓最早，一般都知道义和团运动高潮是在1900年，赵三多领导的义和团活动，早在一八九八年首先起义，揭开了全国义和团运动序幕。所谓为时最长，在义和团运动中各路起义军，都只维持半年一年，最多一年半，而赵三多领导的义和团，从一八九八年到一九〇二年，整整坚持了四年之久，所谓活动区域最广，它不是象红灯照那样只活动的平原，茌平一带，也不象大刀会活动在曹县一带，也不象张德成只限于天津周围，而是冀南、鲁西北、直至冀中、京津的广大地区。所谓声势最大，从介绍已清楚看到，赵三多义旗一举，动辄上千人、上万人，影响所及遍中国，震惊中外。这样的民族英雄和他的伟大业迹，理应占有中国近代史上的光辉一页。

从"助清灭洋"到"扫清灭洋"

——关于赵三多和他领导的义和团反封建刍议

顾自忠

对于义和团运动反帝爱国性质，史学家们用大量的事实做了无可质疑的论证。现在：就我对赵三多领导的义和团活动的调查和接触到的点滴史料，对义和团运动反封建性质，做一点粗浅的探讨，以就教于专家学者。

一、"扫清灭洋"口号的提出

赵三多领导义和团发动的第一次起义（光绪二十四年九月十一日即公元1898年10月25日）和第二次起义（光绪二十六年四月初四即公元1900年5月2日）打出的旗帜是"助清灭洋"，一九〇〇年义和团运动高潮时，各地义和团打出的也都是"助清灭洋"、"扶清灭洋"、"兴清灭洋"一类旗帜，而在义和团运动高潮之后的两年即光绪二十八年二月七日（公元1902年3月16日），赵三多会同景廷宾在巨鹿厦头寺举行第三次起义时，打出了"扫清灭洋"的旗帜，从"助清灭洋"到"扫清灭洋"，虽然只是"助"、"扫"一字之易，却充分反映了中国人民对中外反动派的觉醒，特别是"扫清"是对清政府态度的根本转变，标志义和团运动发展到了反帝反封建的新阶段。

我们只要回顾一下义和团运动演进过程，就不难看出"扫清灭洋"这一口号的提出，确实是历史发展的必然。

（一）义和团运动前期

第一阶段，梅花拳以反洋教斗争为主，清政府处理教案时是：以"弹压"为主，"恩威"并施，"剿抚"并用，"冀息衅端"。随着帝国主义列强侵略中国的加剧，法、德、意等国的传教士纷至沓来，他们凭籍帝国主义强加给满清政府的一系列不平等条约，除享有一般外国"公民"、"商人"的"领事裁判权"之外，还能够持有"盖印执照"，窜入内地随意购买或租赁土地，建教堂或其他房屋，办教会，发展教徒。建教堂时由于抢占"义地"（村中建庙宇或建学校的公地）或强行建堂与当地群众发生纠纷。发展教徒时"良莠不分"，"致使奸民以教堂为护符，鱼肉平民，讹诈乡党，至有因而毁家失业者"（《山东巡抚复奏东省大刀会情形折稿》），因而激起民愤，教案时有发生。清政府处理教案时，"朝廷因长江一带焚烧教堂之事，同时并起，深恐蔓延日广，激成交涉重案，连出上谕数道，责成地方官，一面保护教堂，一面严拿造谣生事之人，从重治罪"。（《圣教史略》卷十八、八十七页）山东巡抚张如梅奏折也说，"派员会同弹压，并严饬地方官剀切谕禁，认真防范"。东昌府在上报办理梨园屯教案时则说："卑府办理梨案，始则暗设间谍解散拳民，继则济以恩威拆还庙地，终则婉言议款，冀息衅端"。这很清楚，"弹压"为主，"恩威"并施，"剿扶并用"，"冀息衅端"。实际是在处理教案的过程中，教会启动外国公使向清政府施加压力，往往偏袒教会。梨园屯教案延续二十五年之久，冠县、东昌府、山东巡扶出面调解过无数次，为庙堂之争，强压村民与教会签发过六次协约，即使冠县知县何式箴答应向教会赔偿二百两银子，不得不把庙地交给教会盖教堂，并把梨园屯驻玉皇庙的道士拘捕，何式箴仍被教会指斥查办不力而被革职。直到光绪二十三年（1897年），梨园屯村民在以阎书勤为首的"十八魁"领导下以武力同教会抗争，并拜赵三多为师求助于梅花拳，清政府先是安抚，冠县知县曹倜同东昌府知府洪用舟亲到冠县北十八村重镇中兴集（今干集）召集临清、冠县、邱县、威县地方官吏豪绅宣谕民教相安，不要滋事，并邀请赵三多参加，赐于他"直良可风"匾额，然而已无法平息群众心中怒火。赵三多，阎书勤仍于是年三月二十一日借庙会亮拳之机，向教会和清政府示威，冠县知县曹倜赶来意想弹压，见群众人多势众，官兵未敢轻举妄动，随又告知东昌府知府洪用舟和山东巡抚张汝梅增派军队围剿梨园屯。赵三多、阎书勤领导拳民奋力抵抗，终因寡不敌众，被官兵打散，从此官府扬言要捉拿赵三多、阎书勤。不仅梨园屯教案如此，据《圣教史略》记载，光绪十四年"英法使臣指控周汉（湖南洞庭地方长官）为倡乱罪魁（洞庭群众焚烧了教堂），朝廷即将周汉革职，交地方官严加管束"。因"周汉素有心疾往往颠狂"才免于治罪。是年秋天，塞外承德府，在理教教首杨悦春聚众捣毁八清教堂，而后又攻陷朝阳，大肆攻打教堂。"李鸿章奉旨剿匪，遣叶志超统兵进攻，转战两个月，方始削平，然朝阳、赤峰之间村镇成墟，非复向日景象"。光绪二十年（公元1894年），四川成都东校场天主堂被焚，英、美公使急向清政府施加压力，清政府派御史吴光奎处理此案，吴光奎参奏四川总督刘秉璋"滋事之始，刘置之不理，并未派兵弹压"，"皇上降旨革刘秉璋职，永不叙用"。而对继续反教会的四川首领余栋臣（余蛮子）无可奈何，直到光绪二十四（1898年）秋受抚，"朝廷不惜名器，奖以翎顶"。

第二阶段，梅花拳变为义和拳，义和拳是"助清灭洋"，清政府是以"弹压"为主，"忽剿忽抚"，时而解散，时而招抚。义和团运动初期斗争的形势较为复杂，在反教会的斗争中，群众深感教会背后是强大的帝国主义，清政府迫于帝国主义列强的压力，不得不偏袒教会，地方政府的官吏由于在办案过程中了解到群众所受的压迫，即使对拳民深表同情，敷衍办案，最后也不得不依照中央政府的指令实行弹压。义和团本来是在反教会斗争中出现的群众组织，它的政治主张尽管有很大局限性，但却代表了群众的愿望，初期义和团根据当时的形势，确定了自己的斗争策略。光绪二十三年春（1897年），赵三多、阎书勤亮拳后，因攻打梨园屯教堂遭通辑，赵三多改梅花拳为义和拳，坚定了反洋教的决心。光绪二十四年夏秋之交，赵三多计划第一次起义时，对打什么旗帜是颇费思考的。赵三多对朱九斌、刘化龙（朱称是朱元璋后代，刘称是刘伯温的后代）提出的"反清复明"主张不同意，认为清已建政二百多年，当前教会欺压群众是靠着帝国主义支持，清政府出面镇压群众是帝国主义强迫着干的，罪恶来自教会的洋人，"反清复明"是把矛头对准了清政府，而不是对洋教和洋人这个主要敌人，应该是"助清灭洋"，帮助清政府把洋人赶走才能过太平日子。"助清灭洋"这一口号的提出，确实是抓住了主要矛盾，得到了群众和部分清政府地方官吏、地主、豪绅的同情与支持，减轻了对义和团的压力，义和拳才得以维系和发展。赵三多、阎书勤第一次起义之前，教会感到形势危急，上报法国公使，责令清政府查办。光绪二十四年（1898年）四月二十九日，山东巡抚张汝梅报总署文"钦奉谕旨，饬令预以为之防，又转准法使来言"，既然"钦奉谕旨"，"法使来言"，那么，张汝梅又怎么办呢？"遵命飞饬该县说查禀报，严密预防"结果呢？"无滋事情节"，"证诸法使所言未必不因乎此"（法使说，赵三多、阎书勤他们发了传单扬言要"毁教灭夷"），"虽系传讹，亦属有因。盖梅花拳本名义和拳，直东交界各州县地处边疆，民强好武，平居多习为拳技，各保身家守望相助，传习既众，流播遂远，豫、晋、江苏等省亦即转相传授，声气广通。历年春二三月，民间立有买卖会场，习拳之辈亦每趁会期传单聚众比较技勇，名曰亮拳，乡间遂目为梅拳会"。光绪二十四年夏，本来形势已剑拔弩张，赵三多与阎书勤已打出义和拳的名号正积极谋划起义，教会转告法使向清政府告急，可山东巡抚张汝梅复总署文都说成是习武、技勇、亮拳，将大事化小。为什么这样？一、张汝梅确实做过一番调查，了解梅花拳，他派"题补济宁直隶州知州李恩祥驰赴冠县一带，会同地方官密查"，又听属下东昌府知府洪用舟、冠县知县曹倜调查后的汇报，认为"直隶、山东交界各州县，人民多习拳勇，创立乡团（张汝梅为化解事体，故意将义和拳与乡团混为一谈），名曰义和拳，继改为梅花拳"。拳民"往往趁商贾墟市之场，约期集会，比较拳勇，名曰亮拳"。这就是他派员调查听下属汇报后于光绪二十四年五月十二日向皇帝的奏折中这样讲的。二、张汝梅通过调查了解到，群众受教会欺压的苦楚，给予深挚同情，他对皇帝直言不讳，"臣查直隶、山东及江苏、河南各部邻近州县，凡有教堂之处，与民人多有积怨"，后来，赵三多领导义和拳于光绪二十四年九月十一日（公元1898年10月25日），高举"助清灭洋"大旗在冠县蒋庄（今属威县）马场起义。时隔一年，光绪二十五年秋（公元1899年）朱红灯打出"兴清灭洋"大旗，在山东平原起义，这两次起义尽管规模还不很大，但震动相当大。这两次起义都出在山东，山东巡抚迫于中央政府和外国公使的压力，倾全力予以镇压，但又深感有愧于拳民，不得不反复申明义和拳反洋教反洋人的真正原因，《山东巡抚遵旨复陈东省现办教案情形折稿》（光绪二十五年十月二十八日起草，二十九日发）和《山东巡抚复奏东省大刀会情形折稿》（光绪二十五年十月二十九日起草，三十日呈）仍然申述："平民受教民欺凌，希图自保身家"，称义和拳"在洋教未建教堂以前，原为保卫身家，防预盗贼起见，并非结党聚众，故与洋教为难。窃维东省民教不和，胥由近年教堂收纳教民，不分良莠，致轩民溷入教内，倚教堂为护符，鱼肉平民，凌轹乡党，睚眦之仇，辄寻报复。往往造言倾陷，谓某人将纠党滋扰教堂，或谓某人即是大刀会匪。教士不察虚实，遂开单交地方官指拿，地方官不肯妄拿无辜"。"究其起衅缘由，仍由教民虐待平民，睚眦之仇，辄寻报复"。"奴才窃维时势艰难，外患纷沓，帮交固宜辑睦，而民心尤不可动摇"。可见地方官吏在处理义和拳的案件时，凭着中国人的良心，不能不同情拳民，凭着对清政府的忠心又不得不镇压义和拳，以防止事态扩大，否则，无法向清政府交差。这种矛盾的心理，可以看出"助清灭洋"、"兴清灭洋"策略的感召力。基于这种状态，山东巡抚觉得"过抑既甚，积仇亦深，平民万难忍受"。他们想把义和拳化为乡团，即"将拳民列诸乡团之内，听其自卫身家，守望相助，不准怀挟私忿稍滋事端，以杜流弊而消乱萌"。这时乡团为官办，义和拳是反洋教的民众团体，怎能拴在一起？如果义和拳真的变成官办的乡团，决不会出现一九〇〇年震惊中外的义和团运动。山东巡抚在上呈奏折时，反复说"各属地方官遇有民教互控案件，总须持平办理，以期渐臻辑睦"。"总以民教互相辑睦，两无偏倚为然"。事实是凭良心这么说，处理时被迫不能持平办理，对洋教士和教民不偏也得偏。帝国主义欺压被征服的民众无所不用其极，清政府又患了严重的软骨症，它直不起腰，又怎能为臣民撑腰？这就注定了义和拳存在一天，反洋教的斗争就会继续下去。

（二）义和团运动中期

第一阶段，义和拳变为义和团，义和团是"助清灭洋"，清政府是由"忽剿忽抚"变为招抚利用。

中法战争和中日甲午战争之后，伴随帝国主义列强侵略的加剧，教会活动愈加疯狂，反教会斗争层出不穷，据《圣教史略》卷十八，八十九页载：山东冠县毁教堂改修庙宇（梨园屯教案），江苏省砀山、江阴、湖北省南漳等处毁教堂，味多林神父致命于长乐，广东永案州伯尔多来神父丧命，博罗神父沙乃斯被戕，广西马在迩神父自南宁赴西林途中被杀等等，"仇教之事尚多，不暇细述"。

1897年，德国借口"巨野教案"侵占了胶州湾，"依大部分传教士看来，德国人对胶州湾的侵略行径在中国官兵和易变的民众的思想中产生了恼火的反感。洋人的大炮反轰不到的内地传教区，就难免不遭受到这股恼火的反感情绪的反击（《大名府广平府总本堂司铎范迪吉致主教函》1898年5月5日）"。"德国此举牵动大局，英、俄、法三国托名均势，咸有所求，于是俄租旅顺与大连湾，英租威海卫，法租广州湾。中国自甲午大败之后，割地赔款，孱弱已极，于诸国之要求，无不屈从，于是形胜要害之区，咸入外人掌握，而瓜分中国之谣同时并起（《圣教史略》卷十八，八十九页）"。面对这种局势，以光绪皇帝为首力图自强，实行变法，但"戊戌变法"触动了以慈禧太后为首的顽固派，特别是光绪皇帝不想当傀儡，要申帝权，慈禧太后急忙临朝听政，托言光绪病，不能视事，将其软禁于中南海之南海瀛台，下令逮捕帮助光绪变法的康有为等新党。慈禧太后还怕光绪后起，欲谋废黜，托词光绪无子，以端王载漪之子为同治太子，朝政大权悉归太后和端王载漪等一班守旧大臣掌握。

光绪二十五年（1899年）十一月，山东巡抚毓贤遭各国公使谴责，以镇压平原朱红灯义和团起义不利之罪名被革职。清政府命讨各国公使喜欢的袁世凯继任山东巡抚。袁世凯一上任就视义和团"杀人放火，行同土匪，乃一意主剿"，他命下署到处张贴告示："黄巾红巾，左道惑人，张角余孽，粤匪同伦，诈称避枪，飞子亡身"。据《圣教史略》描述："拳匪在山东既慑于袁世凯之禁令，不敢大肆，乃纷纷北上，蔓延及于直隶、山东及关东塞外，而流寓京津一带者尤多。庚子春夏之间由山东散往四远之匪不下数十万人，到处鼓煽劝人习拳。其鼓煽之由则曰保清灭洋也。一面盛称拳术之神奇，谓一入拳厂……、神降附体……、刀枪不伤……。一面痛诋洋人之祸中国……是年（1900年）春夏苦旱，则散布谣言曰：'不下雨，地发干，都是教堂遮住天'。"这清楚地表明，尽管一八九八年赵三多蒋庄起义和一八九九年朱红灯平原起义被镇压，尽管袁世凯继任山东巡抚更加残酷，但义和拳的斗争却如燎原之势，势不可挡地发展，一九〇〇年夏天赵三多在正定大佛寺召开会议后，义和拳更名为义和团，四处传扬，各路头领奋力备战。此后冀南景县、故城、深州、献县由赵三多、晒修和尚和王庆一领导的义和团纷纷揭杆而起。东光、南皮、青县的铁布衫呼应义和团而起，静海的曹福田、天津周围的张德成亦举起义旗，冀中涞水、涿州一带的义和团不仅烧教堂、杀洋人，而且烧毁铁路电杆，传教士向外国公使告急，各国公使亦向本国政府告急。

毓贤被革职后，他凭籍与权臣端王载漪和刚毅的旧缘，凭籍着对义和团的了解，怀着对帝国主义列强教会的不满，施展游说本领，向端王载漪、庄王载勋及一二品大员如徐桐、崇绮、英年、启秀、赵舒翘等陈述："拳民皆义民，不可以匪目之，且有神技妙术，不畏枪炮。今国势日衰，外患日逼，皆由于民志未申，若再杀拳民，无异自剪羽翼也，为今之计，宜利用之，以我国人民之众，土地之广，若皆习拳，兆众一心，彼洋人虽狡，亦无如我何也。强国之道，当无过于此者。"这些王公大臣与慈禧太后一样，既想借义和团忠勇之众煞洋人威风，堵企图变法新党之口，又可实现对力主变法的光绪皇帝的废黜，所以都欣然接受毓贤之论。光绪二十六年五月初，刚毅、赵舒翘向慈禧太后汇报涞水、涿州义和团烧毁洋人所架铁路电杆，赞扬义和团忠勇可用，说："义民起，国家之福也，因而用之，雪耻强中国，何求不得。"慈禧太后听了连日召见王公贝勒六部九卿会议，有的说不可战，战即触怒各国，当即被斥为汉奸，怀二心，罪当诛。光绪随太后侍坐，力言战衅不可开，端王说："拳民皆义民也，且有神术，能咒枪炮不燃，奈何目为乱民乎？"光绪见其恣横，默然不语，众臣附合端王、庄王、刚毅众口一词，说："人心不可失，转弱为强，在此一举。"会后，遂下诏书褒奖义和拳为义民，赏银十五万两，又命颁给口粮，又封庄王载勋为天下义和团元帅，刚毅为副帅，于五月二十五日下诏宣战。其诏书曰："我朝二百数十年，深仁厚泽，凡洋人来中国者，列祖列宗罔不待以怀柔。迨道光咸丰年间，俯准彼等通商，并许在我国传教。初亦就我范围，讵三十年来，待我国仁厚，一意附循，乃益肆枭张、欺凌我国家，侵犯我土地，蹂躏我人民，勒索我财物。朝廷稍加迁就，彼等负其凶横，日甚一日，无所不至，小则欺压平民，大则侮慢神圣（指不敬奉中国神圣）。我国人民仇怒郁结，人人欲得而甘心，此义民焚烧教堂、屠杀教民教士所由来也。朝廷仍不开衅，如前保护者，恐伤我人民耳。故再降旨申禁，保卫使馆，加恤教民，为民教解释宿怨。朝廷怀柔远人至矣尽矣！乃彼等不知感激反肆要挟，昨日复有杜士兰照会，令我退出大沽炮台，归彼看管，否则以力袭取。危词恫喝，意在肆其猖獗，震动畿辅。平日交邻之道，我未尝失礼于彼，彼自称教化之国，乃无礼横行如此乎。朕（慈禧太后假借光绪皇帝之口）临御将三十年，待百姓如子孙，百姓亦戴朕如天帝，祝慈圣中兴（指慈禧太后），宇宙恩德所被，浃髓沦肌。祖宗凭依，神祇感格，人人忠愤，旷代所无。朕今涕泪以告先庙，慷慨以誓师徒，与其苟且图存，贻羞万世，孰若大张挞伐，一决雌雄。连日召见大小臣工，询谋佥同，近畿及山东等省，义民同日不期而集者不下数十万人，至于五尺童子，亦能执干戈以卫社稷。彼尚诈谋，我恃天理，彼凭悍力，我恃人心，无论我国忠信甲胄、礼义干橹，人人敢死，即土地广有二十余省，人民多至四百余兆，何难翦彼凶焰，张国之威。其有同仇敌忾，陷阵冲锋，抑或仗义捐资，益助饷械，朝廷不惜破格懋赏，奖励忠勋。苟有自外生成，临阵退缩，甘心从逆，意做汉轩，即刻严诛，决不宽贷。尔普天臣庶，其各怀忠义之心，共泄神人之愤，朕实有厚望焉（《圣教史略》卷十八，九十五页至九十六页）。"时隔十天，于光绪二十六年六月初六日，又下诏驱逐教士，勒令教民出教，诏曰："各国传教以来，各直省屡有民教相化之事，总由地方官办理不善，激成衅端。其实教民亦国家赤子，其中非无善良之徒，只因惑于邪说（指教民信奉天主教），又恃教士为护符，以致种种非为，执迷不返，而民教遂结成不可解之仇。现在朝廷招抚义和拳民，各以忠义相勉，同仇敌忾，万众一心。因念教民亦食毛践土之伦，岂真甘心异类，自取诛夷，果能革面洗心，不妨网开一面，着各省督抚通饬各地方官，偏行晓谕，教民中有能悔悟前非，到官自首者，均准予自新，不必追其既往，并谕知民意，凡有教民之处，准其报明该地方官，听候安定章程，分别处理。现在中外既已开衅，各国教士，应即一律驱遣回国，免致勾留生事，仍于沿途设法保护为要，该督抚等当体察各地方情形，速为筹办，勿稍疏忽。特此通谕知之。钦此。"（《圣教史略》卷十八，九十九页）

义和拳原是从反教会发展起来的民间组织，从它一出现就被清政府宣布违禁受剿，尽管地方官吏有的曾表同情，不予以严厉禁剿，但总是处于犯禁境地。现在，他们虽然弄不清楚慈禧太后等顽固守旧派的政治目的，但觉得义和拳变成了义和团，已从"拳匪"成了"义民"，烧教堂杀洋人，是奉了官的，所以到光绪二十六年（一九00年），即庚子春夏之交，发展异常迅速，从华北南部和鲁西北直到京津，特别是京、津、保三角地带，遍设拳场，声势浩大，他们得到清政府慈禧派大臣端王、庄王、刚毅等人或明或暗的纵容支持，于京师攻打东郊民巷使馆区，于天津攻打外国领事驻地紫竹林，使义和团运动发展到高潮。

第二阶段，义和团是"助清灭洋"，英勇抗击八国联军，清政府对义和团则由"招抚"利用变为肇祸之由"非痛加剿除不可"。

义和拳自打出"助清灭洋"的旗帜之后，已由一个反教会斗争的民间组织，发展成为反洋的民众团体，到八国联军攻陷北京以前成为全民反帝爱国斗争的主体。帝国主义列强依靠洋枪洋炮踏进中国的大门之后，清政府一直是弯腰屈从的，义和拳反洋教斗争中清政府也一直是迫于帝国主义压力而镇压的，现在义和拳不仅没镇压住，反而成了受清政府支持的义和团，从乡间闹到京津，帝国主义岂能坐视不问？光绪二十六年初，开始由传教势力最大的法国公使毕盛召集美、德、英三国公使，经四国共议于1900年1月27日向清政府总理衙门提出照会，要求清政府"宣布镇压两个反对外国人的秘密结社"（即义和拳和大刀会），清政府没有认真对待，掌权的主抚派又鼓动慈禧太后将因支持山东义和拳被革职的毓贤出任山西巡抚。于是英、法、美、德、意五国联合抗议，要求清政府不仅不能使毓贤复任，应该严加惩征，清政府不予理会。五月中下旬，义和团发展如火如荼，英、美、法、俄、德、意、奥、西、葡、比、日十一国公使召开联席会议，联合照会清政府："一、凡参与拳会操练，或在街头制造骚乱，或继续张贴，印刷或散发威胁外国人之揭贴者，均予逮捕。二、义和拳集会之庙宇或场所的所有人和监护人，均予逮捕；凡与义和拳共同策划犯罪活动者，均作义和拳论处。三、凡负有责任采取镇压措施之官员，犯有玩忽职守或纵容暴徒之罪行者，均予惩罚。四、凡企图杀人放火，谋财害命之首恶，均予处决。五、凡在目前骚乱中帮助或指点义和拳者，均予处决。六、在北京、直隶及北方其他各省颁这些措施，以使人人知晓（李德征、苏位智、刘天路合著《八国联军侵华史》54页）。"对这样的照会，清政府也只是应酬搪塞，于是帝国主义才议定联合出兵镇压。他们原想清军和义和团不堪一击，妄想一举占大沽、进天津，长驱直入北京，不想在天津遭义和团和清军联合抗击。八国联军进抵廊坊又遭痛击，直到攻陷北京仍遭顽强抵抗，仅日、俄、美、法、英五国不完全统计，侵华联军死亡91人，负伤346人（引自李德征、苏位智、刘天路合著《八国联军侵华史》243页）。帝国主义穷凶极恶，天津失陷惨遭烧杀抢掠，北京失陷更为残酷，连当年侵华的目击者们也觉得惨不忍睹。帝国主义列强出于复仇兽性，不仅残酷践踏天津、北京，还抢占山海关、秦皇岛，还向南出兵保定、静海、东光，近逼山东，向西出兵山西，向北出兵张家口，到处杀义和团和老百姓，到处抢掠财物，焚烧村舍，特别是对京城的烧杀抢掠，使自元建都以来的几百年的古都几乎成为废墟，故宫珍宝被劫无数，颐和园胜景被毁，熔中西建筑为一炉的园明园被焚……这种滔天罪行，使中国人民世世代代难以忘怀，每当提及，切齿憎恨！

当1900年8月帝国主义将要攻陷北京时，慈禧太后为脱身自保，8月15日名曰"西巡"、"西狩"，实则仓惶狼狈逃往西安。她不愧是玩政治手腕的行家，为讨好帝国主义，对被她称为"义民的"义和拳民，手持大刀长矛倒在帝国主义枪炮之下的拳民，说是给她惹了大祸，说他们是肇祸之由，向帝国主义献媚说"非痛加剿办不可"。四处残杀义和团和普通百姓也置于不顾。她为保全自己，对帝国主义的无理要求，百依百顺。为满足帝国主义惩办祸首的要求，即使曾辅佐她的左膀右臂，被她宠信的守旧派的王公大臣，帝国主义指责是支持义和团的祸首，列入"惩凶"的惩治行列，她也在所不惜。端王载漪和辅国公载澜流放新疆永远监禁，判庄王载勋自尽，判刚毅为斩立决（因病故免议），判毓贤正法，判英年、赵舒翘斩监侯、令自尽，判启秀、徐永煜正法，判徐桐、李秉衡斩监侯、因先后死亡、革职、撤恤，地方各级文武官员，被惩治的达100多人。当列强提出赔偿要求后，虽经讨价还价，仍然以4.5亿两银子的巨额赔偿，得以了结。

（三）义和团运动余波：《辛丑条约》之后，义和团运动余波未息，赵三多率义和团余部会同景廷宾第三次起义打出"扫清灭洋"大旗，清政府"尽法惩治"。

一九〇〇年夏天，京、津、保一带的义和团英勇抗击着八国联军，赵三多和阎书勤带领义和团正在攻打教堂。赵三多打下临清小芦教堂，又召集临清、曲周、邱县、威县拳民攻打威县赵庄教堂。赵庄和十二里庄教堂由神甫指挥着教民组成的洋枪队，凭着坚固的防御工事，义和团久攻不下。时值酷署，给养供给不济，伤亡过大，锐气受挫，不得不撤退，回沙柳寨和梨园屯一带暂时休整。清军接到剿办的命令，趁此机会包围了梨园屯。宋狮子、高元祥突围败走，阎书勤被捕，带到临清被杀。赵三多为避清军锋芒，疏散队伍，带着几个随从流亡到广宗、巨鹿一带民间。赵三多领导的义和团从一八九八年第一次冠县蒋庄马场起义到一九〇〇年第二次枣强卷子镇起义，两年的时间里，打的是"助清灭洋"的大旗，影响远播。一八九九年朱红灯平原起义，打出"天下义和拳兴清灭洋"旗帜：一九〇〇年春夏以来，京、津、保一带义和团也都是打的"顺清灭洋"、"扶清灭洋"、"兴清灭洋"的旗帜，幻想着"助清"、"兴清"、"扶清"同"清"一道去"灭洋"，赶走洋人，驱逐帝国主义列强，使中国人民不再受屈辱。义和团对清是"助"了、"扶"了，但清政府没"兴"起来，可到头来，清政府仍然跪倒在帝国主义脚下，为向帝国主义求和，把义和团拼命流血阻止八国联军侵华妄图瓜分中国看成是肇祸之由，降旨明谕"痛加剿办"。义和团的著名首领朱红灯、阎书勤、晤修和尚、王庆一等，先后被清政府所杀，无数拳民或是死于教士教民的枪炮之下，或是死于八国联军的枪炮之下，或死于清军的枪炮之下，或死于清军与帝国主义联合镇压之下！对于这个问题，不要说作为义和团主要领导人的赵三多，即使是普通拳民，或普通老百姓，谁不痛心疾首，认真反思呢？事实很清楚，义和团不反清也得死于清政府的屠刀之下。

40

《辛丑条约》签定之后，清政府惩治了一大批曾倾向和支持义和团的王公大臣、地方官吏，又向帝国主义赔偿白银4.5亿两。为偿付赔款，清政府加重了赋税，加紧了对老百姓的搜刮、压榨，以抗苛捐杂税特别抗赔偿洋捐的斗争已在所难免，不反清老百姓也无法活。景廷宾、赵三多清楚地看到，清政府继续奴颜媚外，帝国主义继续瓜分中国，企图使中国变成他们的殖民地。景廷宾、赵三多决定第三起义时不再打"助清灭洋"的旗帜，几年来，血的教训，使他们清醒地认识到，"灭洋"必须反清，不反清也不能"灭洋"，于是就打出了"扫清灭洋"、"官逼民反"的大旗。这是明确地反帝反封建的大旗，这是半封建半殖民地的中国进行民主革命的先声，对孙中山先生领导的资产阶级民主革命，对中国共产党领导的新民主主义革命，都具有深远的影响。

二、义和团余部在"扫清灭洋"的旗帜下干了些什么？

义和团余部在第三次起义从打出"扫清灭洋"旗帜到主要领导人景廷宾被"凌迟处死"，赵三多被捕绝食七天而死，仅历时三个月零五天，却干了三件大事。

第一件"抗捐"斗争

抗捐税斗争是封建社会农民反抗封建统治的重要斗争形式。抗捐税斗争往往与反饥饿相关联，当遇荒旱年月，不抗捐税，不反饥饿就无法生存。《威县志》记载："是岁（光绪二十六）大无，贫民无以聊生，争附合拳民，名为均粮，实则仇教。"《山东义和团案卷》载，光绪二十六年，义和团"强令富户均给粮食（《夏津县禀》）"。以上两处都载有"均粮"斗争。从实际情况看，在义和团运动中，鲁西北和冀南南部一带，光绪二十六年农历六月底才下雨，光绪二十八年春夏亢旱，夏无收成，秋无指望。饿殍遍野。义和团开展"均粮"斗争，打下教堂把教堂贮藏的粮食分给贫苦农民，强令富户均粮给贫苦农民，"仇教"是其目的，把无数饥饿农民吸引到义和团队伍来，去打教堂，杀洋人。这虽然也是反封建性质的，不过那时义和团的旗帜是"助清灭洋"，"灭洋"是主要的，还没把这种反饥饿的"均粮"斗争，发展成为反清政府的抗捐税斗争。直到1902年第三次起义，打出"扫清灭洋"的旗帜之后，才以抗捐斗争开始把矛头对准了清政府。清政府为践《辛丑条约》，需用赔偿白银4.5亿两，向各省、州、府、县加重赋税。教会文献《义勇列传》对这种情况记述尤详："原来庚子年（八国联军攻占北京），拳匪仇教，八国兴师问罪，光绪与西太后避居西京长安，既而遣使求和，除答应外国之罚款外，内地之教民、教堂所受之污害，又当赔偿。为此，清廷扎饬各州、府、县加重赋税。"冀南南部连年荒旱，民苦不堪言，在大顺广道二十七个县中，广宗尤甚。而广宗催派捐税又急，知县王宇均筹办未结被免，继任魏祖德令全县各村每亩摊京钱四十文，负担过重，民怨沸腾，拒而不交，乡民公推景廷宾与县交涉。

景廷宾，广宗东召村人，武举，武艺高强，他仗义豪爽，急公好义，在县极孚众望。赵三多于一九〇〇年十月流亡广宗巨鹿一带，秘密活动，准备东山再起。由于景廷宾钦佩赵三多，他们一接触就很投契，曾筹划再次起义。鉴于清政府严惩义和团，景廷宾只好以乡团名义组织群众抗捐税斗争。光绪二十七年十月景廷宾召集乡团操练于广宗城外，一则用以号召群众，一则向知县示威。《广宗县志》载，袁世凯向清廷奏折中说："十月初十日各乡绅入城会商，独景廷宾因该村地保被县传拘，负气不到，竟于十二月传贴集众，在城外五里许试枪炮，声称阅边，哄动各村，所有地丁捐款概不交纳。"景廷宾的举动使地方官吏慌了手脚，顺德府知府窦如松亲来广宗并召见景廷宾，把赋税每亩四十文降十四文，或折谷交二合。窦如松回府后，知县魏祖德认为知府窦如松施之太宽，声言全县欠交税全由景廷宾一人交纳，景廷宾进县衙论理，知县魏祖德把他扣留。同村东召人刘永清是景廷宾乡团中主要领导人，他闻知景廷宾被扣县衙，急忙带领乡团进县衙解救出景廷宾。赵三多从巨鹿派人与景廷宾联系，决定巨鹿、广宗拳民联合行动。魏祖德报告直隶总督袁世凯。袁世凯命令要"缉其首要，解散协从"，派大名练军到广宗震慑。光绪二十八年正月十九日，顺德府知府窦如松来广宗东召安扶民众，企图稳住乡团再将剿杀。正月二十四日，大名正定两练军赶来东召袭击乡团，景廷宾预有准备，率乡团向西北巨鹿方向突围，赵三多前来接应，两支人马汇合于巨鹿厦头寺，响应的群众会集于此，乡团已达数万人。官逼民反，不得不反。于是有三月十六日正式宣布起义，景廷宾为大元帅，赵三多为先锋，打出了"扫清灭洋"，"官逼民反"的大旗。"扫清"就明明白白把矛头对准了清政府。

第二件：战杀清政府官兵

赵三多第三次起义之前，已经同清军交战，不过那是同前来镇压的官兵交战，并没有主动打官兵、杀官兵，这次是主动战杀官兵。很清楚，义和团第一、二次起义时打出的是"助清灭洋"的旗帜，幻想通过助清一起灭洋，从无主动战杀官兵。现在"扫清灭洋"主动杀官兵直接对准了清政府。起义军声势浩大，很快发展到十万多人，正打算攻打威县，广宗、巨鹿，从扫除地方反动政府入手，恰遇袁世凯的武右军后营管带鲍贵卿带领从威县招收的常备新军百余人赴省路过巨鹿厦头一带，被景廷宾、赵三多带领起义军截住，将官兵战杀大半，委员典史钱德葆、附生刘丙勋、千总吕孝申、把总赵登贵、五品官张俊均被杀戮，鲍贵卿负伤逃走。

第三件：杀神父、打教堂

义和团余部"扫清"不忘"灭清"。起义军杀死威县张庄本堂神父法国教士罗泽溥及随从二人，并攻打该村教堂，这是义和团运动后期最大的一个教案。威县北张庄村，位于威县边境，地处威县、广宗、巨鹿、南宫四县交界处。全村几乎是清一色的天主教教徒。那时该村依仗教会有恃无恐，随意欺压四周邻村民人。所以，被称为"老虎张庄"。

罗泽溥神父在河南濮阳听说巨鹿、广宗义和团起事，唯恐所主持的张庄教堂有失，带着两外随从教徒，经大名、威县赵庄赶往张庄。据《重修张家庄保善寨碑》记载，途径威县苏庄和刘庄之间，"撞遇永平团勇，从者二人俱蹈白刃而死"。

景廷宾、赵三多他们知道杀了神父，教会决不会善罢干休，于是于光绪二十八年三月二十二、三两日（1902年4月29—30日）带领团民去攻打张庄教堂。张庄村四周筑有土围子，寨墙外挖有一丈多宽的深沟，四门建有炮台，教民都备有火炮，易守难攻。起义军虽经一昼夜强攻，伤亡过重，终未攻下。这次战斗情形《重修张家庄保善寨碑》有如下记载："于月二十二、三日，景匪领数万匪党，将我村围攻，旗帐飘飘，炮响连天，杀声不断，凶险极矣。"

袁世凯得知起义军又杀神父、又打教堂，急奏朝廷：慈禧太后谕令袁世凯："尽法惩治，以免引起列强干涉。"袁世凯派遣亲信队伍武右军马、步、炮、工、辎分兵种俱发，以段祺瑞为总司令、倪嗣冲为执法官，督军进剿。三月末，清军万余人进攻广宗件只景廷宾大帅府驻地，袁世凯临阵督战。官兵先集中于南宫，随后一径向广宗件只进发。一路上，见人开枪、见村开炮，血洗村寨，三十多个村庄几千名无辜百姓惨遭杀戮，数千名团民被杀。四月初二日，件只被清军攻占，起义军骨干赵老贵、张学逊、邢老秘等壮烈牺牲。景廷宾突出重围，败逃成安，后被倪嗣冲在河南省属临漳县郭家小屯捕获，解往威县，于1902年7月28日在威县西关被凌迟处死。赵三多突出重围转移到巨鹿县姬家屯被俘，押入南宫监牢，绝食七天而死。到此，历时三个月零五天的义和团第三次起义结束，历时四年多的义和团运动结束。

三、值得思考的问题

义和团运动从反教会开始，前期和中期从义和拳到义和团，打出的旗号是"助清灭洋"、"兴清灭洋"、"扶清灭洋"。"助清"、"兴清"、"扶清"都是为了灭洋。民族危亡当头，以"灭洋"为主，矛头对准帝国主义，以挽救民族危亡。义和团余部打出的旗号是"扫清灭洋"，"灭洋"的矛头当然就是对着帝国主义的，但"扫清"的矛头正是对着清政府的反动封建统治。赵三多会同景廷宾第三次起义实际上也是这样做的，正是在"扫清灭洋"的旗帜下，在"扫清"即反封建统治的同时，并没忘"灭洋"这一重大使命。由此可以说，义和团运动，始终是"灭洋"的。正因为这样，史学家把义和团运动称做反帝爱国运动，这当然是正确的，但是，却忽视了从义和团发展的全过程来观察分析问题。如果从义和团运动的全过程来考察分析问题，特别是从后期的第三次起义来分析就不难看出，义和团运动不仅是反帝，也是反封建的。

那么，史学家们是否就真的忽视了义和团运动的反封建性质呢？不全是这样，这是因为：一、赵三多领导的义和团长达四年之久，在很长一段时间里打的是"助清灭洋"、"兴清灭洋"、"扶清灭洋"的旗帜，而打出"扫清灭洋"的时间仅仅才三个月零五天，时间很短。二、义和团运动的前期、中期，特别是中期，从冀南南部、鲁西南、鲁西北、一直到冀中、京津，地区广大以至波及全国，影响甚大。而后期余波仅限于冀南南部，波及豫北的临漳（今属河北）一个县，区域较小。三、义和团运动的前期、中期从反洋教到抵御八国联军，"灭洋"反帝的文献资料和口碑资料很多，现已出版的关于义和团的书籍，内容几乎都是记述义和团论述义和团反帝国主义的，涉及反封建的很小。即使一些专家的著述曾提到义和团的均粮斗争也只是凤毛麟角。义和团运动余波尽管资料不象前期和中期那么多，但是"扫清灭洋"

旗帜所表明的,"扫清"是明确的,实际做的,抗捐税斗争,战杀官兵,"扫清"即反封建,都是明确而突出的。四、义和团运动始终都是"灭洋"、反对帝国主义的,而经过前期、中期的发展,从血的教训中认识到不管怎样"助清"、"兴清"、"扶清",而清政府得的是不求自强的软骨病,是"助不起来"、"兴不起来"、"扶不起来"的,到头来就是屈膝媚外,残酷镇压人民的。帝国主义要想瓜分中国,扩大侵略,义和团奋力抵抗,流血牺牲,清政府媚外求和,反说义和团是招致帝国主义入侵的祸根,并疯狂镇压义和团,使义和团不能只"灭洋"不反清。"扫清"即反封建的使命,是历史发展赋予义和团的,不是我们现在人强加在义和团头上的。

义和团运动阻止了帝国主义列强瓜分中国的狂潮,粉碎了他们妄图一举把中国完全变成他们的殖民地的梦想,列强们觉得短时期内很难把具有反侵略光荣传统的中国变成殖民地,偌大中国如何维持?倒不如仍然扶持清政府,把清政府当作他们的代理人,成为他们继续侵略掠夺的工具。正因这样,从此中国才出现了半封建半殖民地的政治局面。"扫清灭洋"岂不是反帝反封建的先声?

义和团余部打出"扫清灭洋"的旗帜,绝不是只将"助清"变成"扫清",空喊三个月零五天,确实为"扫清"做了抗捐税,战杀官兵的反封建的实事,"扫清"不忘"灭洋",为"灭洋"也做了杀神父、打教堂的反帝的实事。所以,我们应当把"扫清灭洋"看成是反帝反封的。不可否认,"扫清灭洋"做为一种政治纲领提出来,具有很大的局限性,既没有提出在"扫清灭洋"之后建立什么样国家体制,也没有提出一些相应的具体措施来,不象太平天国那样推翻清朝统治,建立理想的"小天国",实施《天朝田亩制度》,具有自己完整的理论体系。其所以这样,就在于义和团本身。首先说义和团就是一个分散的组

46

织，没有一个统一的组织、统一的领导，赵三多将梅花拳改为义和拳之后，各拳派也仿效叫义和拳。实际上不要说梅花拳、大刀会、义和神拳、铁布衫几个拳派之间有门户之见，即使是同一拳派也有门户之见，谁也领导不了谁，只是由于同样遭受帝国主义和清政府的欺压，起而反抗，遇有战事接到传贴，各由各的师傅带领徒弟参加，战事结束即刻解散，既使清政府暗暗招抚，且封王公庄王载勋为天下义和团大元帅、刚毅为副元帅，也只是利用了一部分义和团，并没有把义和团统一起来。其次，参加义和团的都是一些习武的农民，他们缺乏文化知识，凭着反抗压迫的朴素感情，放下锄头，拿起大刀、长矛，跟随师傅参加到战斗的行列中来。第三，义和团没有先进的思想做指导，信奉神灵，相信念咒能驱邪，吞符神可附体，"避枪弹"之类的封建迷信的东西。第四，义和团没有自己的根据地，每打下一处便撤离。义和团本身这些缺点，注定了它无法完成民主革命的任务。这个问题不能以现在的眼光，脱离当时的历史环境，去苛求前人。在十九世纪末二十世纪初，面对帝国主义列强的疯狂侵略和清政府的反动统治，由分散的农民群众打出"扫清灭洋"的旗帜，并为之浴血奋战，确实功不可没，它将永远是中华民族发展史上的一块丰碑。

简议赵三多改"梅花拳"
为"义和拳的策略思想"

顾自忠

梨园屯教案自同治八年（1870年）算起，中经冠县和东昌府六次偏向教会的调解，梨园屯三街会首公推王世昌（文生）、闫德胜（武生）、左建勋（贡生）、刘长安（文生）、高松生（文生）、姜洛亮（监生）六位文人先生代表梨园屯村民与教会诉讼败诉，后经一年多以阎书勤为首的"十八魁"的武力抗争，长达二十五年之久，直到光绪二十二年"十八魁"觉得只靠他们的红拳门徒及梨园屯村民，势单力孤斗不过教会，求援于赵三多并拜赵三多为师，赵三多为帮助阎书勤等"十八魁"和梨园屯村民与教会抗争，随将自己所属这一支梅花拳为改称"义和拳"，于光绪二十二年三月二十日趁梨园屯庙会之机亮拳摆会，显示了梅花拳与红拳的联合力量，震惊了山东冠县、东昌府和直隶威县等县，于是官府贴出告示声言要捉拿赵三多、阎书勤等。官逼民反，不得不反，终于光绪二十四年八月十八日（即1898年10月3日）在冠县北十八村的将家庄马场打着义和拳的旗号，明确提出了"助清灭洋"的政治宗旨，祭旗起义。

赵三多本来是梅花拳第十四代传人，著名梅花拳拳师，"管徒弟二千多人，连师兄带侄孙等有三千多人"(1)为什么起义时不打"梅花拳"的旗号，而打出了"义和拳"的旗号呢？据当时跟随赵三多起义曾经给赵三多当过文书的郭栋臣先生（抗日时郭老是晋、冀、鲁、豫的参议员）回忆："义和拳原名梅花拳，自光绪二十三年赵三多别有用意，恐失败祸及全体（整个梅花拳），将自己的一派改名'义和拳'。"二十六年（光绪二十六年1900年）清廷利用敌御外国改拳为团，这里所说"赵三多别有用意"，(2)是指赵三多既已收红拳的阎书勤等"十八魁"为徒，决心与教会，与洋人斗争下去。清政府屈服于帝国主义，历来是袒教压民的，反教会必然要招致弹压。梅花拳中比赵三多辈分高的"别的老师亦常来劝说赵三多""莫闹大乱子"，赵三多说："我赵三多是骑虎不能下背了，我不干，天主教也未必放我过关，诸位老师放心，我闹事决不碍梅花拳的事，以后若失败，我想叫咱同道老师们隐避我哩，再不必劝我了。"自此，赵三多将他"这一派改称义和拳，收徒弟，亮拳摆会，均挑义和拳旗号"。(3)其实，赵三多将梅花改称义和拳，不仅仅是"为了不使其他梅花拳受到株连"。(4)光绪二十六年四月初八，借佛祖生日之名，集合"北方滹沱河以北与运河两岸各县"，"保定以北，北京以南"、"涿州、良乡、固安、大兴各县与赵三多的势力联络一起"，(5)于正定大佛寺召开秘密会议，讨论如何联合各拳派，甚至铁布衫、金钟罩等，联合起来打什么旗号，赵三多说："吾们定名叫神助义和拳，只说练拳，保护自己的村庄，避免官家干涉，免论反清复明，排满兴汉，以免两面受敌。"(6)这很清楚，"义和拳"公开的政治宗旨是"助清灭洋"，对外不说"反清复明，排满兴汉"，因"助清"、"练拳"、"保护自己的庄村"才能避免清政府的敌对情绪减轻对义和拳的弹压，"避免官家干涉"。而矛头反指是"灭洋"，才能博得各界人士对反对帝国主义的支持，这样，才能避免清政府与帝国主义的联合打击，"以免两面受敌"。民族危亡当头，民族矛盾是主要矛盾，"助清灭洋"，一致对外反侵略，这是民心所向，具有极大的号召力。

"义和拳"的旗号一打出，确实起到了动员群众的作用。郭当时（指光绪二十四年即1898年）已二十一岁（1960年被调查时81岁）亲自经历过义和拳起义，距赵三多故乡沙柳寨二里路的魏村（又叫魏沙寨）人魏有存讲："梅花拳改称义和拳，是'十八魁''义和'之意"，(7)"义和"就是大家"义气"、"团结"之意，以便共同对付洋教堂与洋人。"义和拳"的"义和"之意为当时普通百姓所理解并广为传播，从冀南传到鲁西北。据1960年调查已81岁的山东平原县炉坊乡大营坊村任于年讲，光绪二十五年（1899年）10月朱红灯、李长水领导平原义和团起义时，也说"义和团是同心义和的意思"。(8)据《高唐文史》第五辑记载："光绪二十四琉璃寺大联合以后……义和拳'拳讲义和'即主张拳民们应当团结起来，共同'杀洋人、灭洋教'。"

正因为梅花拳打出了义和拳的旗号，凭着"义和"的意思，将各种拳派迅速联合起来，形成燎原之势。柴萼说："东省义和拳""以直隶为老巢"，(9)"冠县北十八村（包括梨园屯）是山东义和拳兴起的主要发源地，而活动在这一地区的义和拳又是直接演变为义和团的一个重要组织，在当时文献记载中就曾有'山东义和团始于冠县'之说。冠县出现义和拳的斗争活动，并非偶然，它是由冠县梨园屯的教案所激起。……十八魁感到仅恃本村力量难制止教会和官府相勾结的反动势力，阎书勤等便赴直隶威县沙柳寨强请赵三多出来号召梅花拳与之联系，……对于赵三多之图谋起义，有的梅花拳教师曾来劝阻。赵三多为了不使其他梅花拳受到株连，便将自己统率的梅花拳改为义和拳……他们活动的范围从山东的冠县、邱县、临清、夏津、武城、恩县、馆陶至直隶的……（冀南南部至冀中直至京津）广大地区联合一片，为后来的斗争奠定了基础。"(10)光绪二十五年（1899年）朱红灯领导的长清、茌平、平原一带的大刀会，红灯照等义和团也是称"神拳"或"义和神拳"，以至后来到光绪二十六年（1900年）在正定大佛寺会议上，赵三多总结第一次（1898年）起义失败的教训后，要与会的各路头领想办法"怎样往前干"，河间县姓李的人说："现时静海、青县、东光、南皮等县，有红门暗里秘密吃符念咒，练的叫铁布衫"，"系白莲教根"，"他们的宗旨与我们同是一样"，"他们那拳本不明"，"现时老百姓很信他们"，"我们凑他们一步"。"我们义和拳是明的，到处能亮拳摆会，他们与我们一起也能正大光明的摆会亮拳，他们无有不愿意与我们联合，老百姓也都信他们，这就好往前进行了。"(11)清政府军机处向慈禧太后秘奏正定大佛寺会议："倾接正定有司秘奏赵三多已窜至我省，四月初八在正定大佛寺与各路领聚，并暗中派人与青县，东光的白莲教进行联络，阴谋大举。"(12)

正因为梅花拳打出义和拳的旗号，各拳派也都仿效梅花拳改称义和拳，"只说练拳保护自己的村庄""免论反清复明，排满兴汉"，避免了自明清以来会道门利用教徒练拳习棒，妄图谋反的色彩，才得以避免官府干涉。冀南、鲁西北、豫北的广大地区，水旱灾害频繁，这一带"壤邻他省，时有匪患，为防御计故尚武"，"尚武则民强"，(13)"强身保家"，"自保身家"形成了习拳练武的风尚。梅花拳、大红拳、小红拳、大刀会、红枪会、长拳、太极拳、猴拳等几十种，几乎村村人人练拳。从明清以来，八卦教的活动时起时伏，清咸丰十一年（1861年）河南商丘马牧集附近的舍楼寨郜永清领导的八卦教起事。(14)同年山东的邱县孙全红、杨太等人推举山东临清侯庄人张善继为圣主领导的八卦教起事，又与捻军的宋景诗会合。(15)后又有"直隶威县平日走江湖的道士张恩峻、刘白阳九宫道起事（"掌九宫统管八卦"）。(16)八卦教不仅宣扬"三劫"惑众，还"有大量的习拳棒者参加"。发布告示："顺天举义，重整河山，除暴安良。"张善继的印章"兴汉灭胡"，杨太的印章"扫清立明"(17)这几起八卦教活动在河南的商丘，安徽的亳州、山东的冠县、邱县、馆陶、莘县、朝城、平阴、邹县、寿张等地、直隶的威县、曲周、广宗、清河等地。这些八卦教的头头们，向教徒聚敛财物，借教徒习拳棒、打官司、掠财富，借教徒企图推翻清政府，以便他们黄袍加身，登基坐皇帝，这自然会遭到清政府的残酷镇压。梅花拳可能吸取了这为时不远的教训，巧妙地打出了义和拳的旗号，所以清政府的地方官吏上奏朝廷时也说义和拳"强身保家"、"自保身家"。光绪二十四年（1898年）四月二十九日，总署收山东巡抚张汝梅文："盖梅花拳本名义和拳，直东交界各州县地处边疆，民强好武，平居多习为拳技，各保身家守望相助，传习既众，流播遂远，预、晋、江苏等省亦即转相传授，声气广沸。历年春二三月，民间历有买卖会场，习拳之辈亦趁会期传单比较技勇，名曰亮拳，乡间遂目为梅拳会"(18)事隔十三天张汝梅又上奏："据该委员（题补济宁直隶州知州李恩祥）及东昌府知府洪用舟、署冠县知县曹倜先后查明禀复："据称直隶、山东交界各州县，人民多用拳勇，创立乡团，名曰义和，继改称梅花拳……惟直隶山东交界之区，拳民年多一年，往往趁商贾墟市之场，约期聚会，比较拳勇，名曰亮拳。"这是梨园屯教案引起了义和拳的斗争之后，教会逼迫清政府查剿义和拳，清政府谕旨山东查办，"头品顶戴，山东巡抚张汝梅跪奏"的奏折。(19)

　　正因为梅花拳打出了义和拳的旗号，不仅避免了"官家干涉"，还得到了地方官吏的同情，以致后来被以慈禧太后为首的顽固派利用。地方官吏在办理教案的过程中，了解到民族矛盾是由教会欺压老百姓所激起。"直隶、山东及江苏、河南各邻近州县，凡有教堂之处，与人民多有积怨。"(20)"东省民教不和，胥由近年教堂收纳教民，不分良莠，致奸民溷入教内，倚教堂为护符，鱼肉平民，凌铄乡党"。(21)即使大刀会烧教堂，"究其起衅原由，仍因教民欺虐平民，平民万难忍受"。(22)在一些地方官吏遵照朝廷指令不得不镇压义和拳，义和拳没有镇压下去，反而发展到京津一带，教会对清政府更加不满，随着帝国主义瓜分中国浪潮涌起，逼迫清政府日甚一日，地方官吏们指出危机趋势，"构衅既久，积仇日深"，"遏抑既甚，积仇亦深，平民万难忍受"(23)"时势艰难，外患泛滥，帮交固宜辑睦，而民心尤不可动摇"。(24)面对这种局面，以慈禧太后为首的当政者不得不考虑"设有缓急，尚有可待。"(25)于是义和拳改称义和团（我所写另文，较详论及，恕从略），不仅使义和拳"免受官家干涉"，还被堂而皇之的利用义和团的旗帜在全国打了起来，在京津跟疯狂入侵的八国联军干了起来，清政府官兵难敌八国联军的进攻，更何况手持大刀、长矛的义和团？慈禧太后为保自己除窜逃西安，还答应各帝国主义国家提出惩除"肇凶"和赔偿的无理要求，处死、处理一些朝廷大臣，赔偿白银四亿五千万两，配合帝国主义侵略军四出剿除义和团，震惊中外、轰轰烈烈的义和团运动就这样暂时被镇压了。这使全中国人民更加清醒地认识到清政府丧权辱国的丑恶本质，所以，1902年赵三多会同景廷宾举行第三次起义时，吸取了教训，将"助清灭洋"改为"扫清灭洋"，揭开了中国近代史上反帝反封建的新的一页。

【注释】：

（1）《义和团之缘起》郭栋臣著

（2）《赵三多字老祝小传》郭栋臣著

（3）（5）（6）（11）《补充义和团之资料》郭栋臣著，第一、二、三节

（4）（10）《山东义和团调查资料选编》路遥主编第245—249页

（7）（8）《山东义和团调查资料选编》路遥主编第266页和第127页

（9）《庚辛纪事》柴萼

（12）威县赵庄教堂传教士伊索勒的日记，见《中国与西方》

（13）《威县志》

（14）（15）（16）（17）《中国会道门》邵雍著，第四章《晚清会道门的发展》第七节八卦教第135—154页

（18）《义和拳运动起源探索》路遥主编第174页

（19）（20）《义和拳运动起源探索》路遥主编第176—177页

（21）《义和拳运动起源探索》路遥主编第178页

（22）《义和拳运动起源探索》路遥主编第179页

（23）《义和拳运动起源探索》路遥主编第181页

（24）（25）《义和拳运动起源探索》路遥主编第182页

赵三多及义和拳运动散议

李金鹏

义和团运动自1898年赵三多率领义和拳起事开始，至今已逾百年，它的高峰是在1900年，所以它是爆发于19世纪末，结束于20世纪初的一次属于民族解放运动的重大历史事件。

梨园屯教案是义和团运动的导火索，"十八魁"的英勇斗争树立了反洋教斗争的光辉典范。赵三多是义和拳（团）运动的著名领袖，他领导的义和拳（团）自参加梨园屯的反洋教斗争开始，至1902年牺牲。一直贯穿整个义和团运动始终。他领导的义和拳不仅为运动提供了名号，而且为整个运动提供了组织典型。赵三多以其百折不挠的英勇斗争精神，为后世留下了宝贵的精神财富，在中国近代史上写下了光辉的篇章。研究赵三多及其义和拳运动，对研究义和团运动史有着特殊的意义和作用。论者现就赵三多及义和拳运动的某些问题，提出几点个人的看法，就教于史学界同仁。

一、赵三多及义和拳的信仰

赵三多（1841—1902），字祝盛，直隶咸县沙柳寨人，人称赵老祝，官方档案则记为赵洛珠。他出身于贫苦农民家庭，家仅有薄地三、五亩，全家只靠土地难以维持生计，他当过佣工、学徒，做过小生意。他是梅花拳嫡派传人，师从临清杏园村著名梅花拳师张如纯，他文武兼修，深得内家拳术之精髓。为人豪爽仗义、侠骨义胆，广交天下豪杰，专打人间不平，在直、鲁交界一带深受广大群众的尊崇和爱戴。

赵三多在梅花拳中的辈份，历来为研究者所关注。梅花拳是威县一带影响最大的拳种之一。"梅花拳既是民间武术会社，又是具有民间宗教特色的'拳会'组织"。① 有清以来，梅花拳一直以武术会社的面目出现。据《梅花拳秘谱》记载：梅花拳第一代为收元老祖，第二代为张山（又名张三省），他曾出家为道士，属道教全真道之龙门派。传说曾得云游道长真传，实为梅花桩拳派所谓"后百代"创始人。所以梅花拳自称其派为"检关道藏金莲正宗七真法派"，称邱长春为"全德神化明应真君"，② 称张三省为张真人。梅花拳"后百代"辈份排列为一百字的道家五言诗，传为邱长春所作。前二十字为："道德通玄静，真常守泰清，一阳来复本，合教永远明"。③ 关于赵三多在梅花拳的辈份，史学界说法不一，大多沿袭曹倜《古春草堂笔记》的说法。曹倜在此书"解散拳民"一节中记述："赵曰：'义和团起于三十年前，正天主耶稣两教入中国时也。宗旨在反对传教，有患难相扶之规约。先后凡八辈，洛珠居第五辈，故推为首领'。"④ 显然，赵三多把他领导的义和拳与威县的义和（乡）团搅在一起说，混淆了官府视听，保护了梅花拳。但有文章仍根据曹倜之说，附会穿凿，以致以讹传讹。直到近年路遥等人发现梅花拳秘谱，才最后澄清了事实。赵三多为梅花拳第14代，占"复"字辈。赵三多师承关系如下：第二代张山以下为邹宏义（第三辈）→蔡光瑞（第四辈）→张复（第五辈）→徐进德（第六辈）→李九周（第七辈）→杨士增（第八辈）→刘武勋（第九辈）→杨大兴（第十辈）→张连珠（第十一辈）→张克宽（第十二辈）→张如纯（第十三辈）→赵三多（第十四辈）。梅花拳第七辈李九周系平乡县杜科村人，传徒杨士增、张从富。赵三多系杨士增所传一支，拳内称"大架派"亦称"大门"，张从富所传一支则为

56

"小架派"，称"二门"。小架派供有"八辈祖师张从富之位"的牌位。⑤ 关于赵三多及义和拳的信仰问题，历为研究者所重视，有人认为赵的义和拳（梅花拳）不迷信，甚至以他在正定大佛寺改称"神助义和拳"来认定义和拳本身并无神。⑥ 赵的一支义和拳即梅花拳，梅花拳派中独特的神佛信仰本秘不外传，鲜为人知，神桌子（即坛）通常设于文场师傅家的密室之中，一般群众只能见到梅花拳弟子们舞枪弄棒。调查中，无论是一般群众还是梅花拳弟子均讳言其神。"大兵团作战"的调查更无法窥其庐山真面。那么，他们信什么神呢？首先，赵三多的义和拳（梅花拳、红拳）都信奉"汉教"。汉教有自己的一套神佛信仰。关于"汉教"，论者曾在1996年10月在保定市河北大学举行的"义和团运动与华北社会暨直隶总督学术讨论会"上的发言中，进行了阐述。汉教是宋明以来形成的以奉玉帝为天地三界最高神，奉儒、释、道三教尊神为基本特征，并杂奉无生老母、灶君等民俗神的汉族广大民众的普遍信仰。论者经多年调查，河北、山东、山西、河南、东北等广大地区的梅拳、红拳、八卦拳各拳派均信奉"汉教"（民间俗称"大教"）。"汉教"信众于春节时请来木版彩印的神像，即天帝（主要供玉帝、关帝）、全神（玉帝、关帝、儒、释、道三教尊神为主）、灶君、三代宗亲等。他们既参加佛教法事，也参加道教的斋醮活动，并习念自己的"宝卷"。随着年代的推移，其宗教成分渐已弱化为民俗形式。

梅花拳的祖师张三省归道教全真道北七真之龙门派。⑦ 因而梅花拳弟子在"汉教"的基础上，又融进了道教的信仰成分。如奉"三清"为最高神，"三清"即道教中的上清元始天尊、玉清灵宝天尊、太清道德天尊，即太上老君。玉帝本是道教神仙谱系中的"四御"之一，在道教神系中，四御位列三清之下，而在梅花拳诸宫神仙中，却把玉皇大帝（居通明宫）与万寿宫的"皇帝万圣"并列为天上和人间的圣主。这种信仰从梅花拳《根源经》中可以看出。更耐人寻味的是，三清中本已有"太清宫道德天尊"，却又列出了"太赤宫太上老君"，出现了重复，而太上老君是汉教中三教尊神之一。明显带有"汉教"、"道教"结合的痕迹。为什么道教龙门派与汉教能并行不悖呢？因为全真教祖王重阳创立全真教之初，即以"性理"学说融贯三教，认为道家之"清静无为"、释家之禅定，儒家之真实无妄，三者均可使人在精神上达到超脱之目的。⑧ 关于三教合一的思想，王重阳有一首诗写道："儒门释户道相同，三教从来一祖风，悟彻便令知出入，晓明应许觉宽弘。"⑨ 梅花拳派吸收了全真道龙门派的某些东西，又创造了自己的一套"特色"信仰，那就是其神坛上所供的神佛与祖师。梅花拳分为大架、小架派，赵的一派为"六炉大架"派，所谓"六炉"，是指坛上摆设的香炉数。第一炉敬法王老祖，指该门创世纪传说中代表天地的收元老祖，亦称开天祖。⑩ 第二炉香敬头（透）天老母，亦称老老太母，即无生老母。（11）第三炉香敬佛天教主，亦称慈濛祖，慈濛佛天。（12）以上称"大三炉"。据《三教根源妙法经》分析，"大三炉"又分别代表释、道、儒三教，第一炉寓佛；第二炉寓道；第三炉寓儒。（13）据笔者多年调查研究，各地梅花拳弟子"大三炉"以外各炉供奉的神佛祖师有很大的区别。道教神仙、佛教菩萨、本门祖师在香理上有不同的体现。据笔者收藏之《梅花拳史料》记载，梅花奉诸宫供奉天神地祇、神佛祖师共52位。（14）另据《根源经》记载，其神坛供奉"全佛全祖"，自然不限于52位。（15）梅花拳打"黄（皇）醮"和还愿时所供之神佛祖师更为繁杂。赵三多、阎书勤的冠、威义和拳以梅花拳和红拳为主，梅花拳占兑卦，红拳占艮卦；大刀会占坎卦、离卦。朱红灯的义和拳占离卦；据后天八卦和五行五色理论，兑卦居西方（白色）；坎卦居北方（黑色）；离卦居南方（红色）。赵三多在1902年第三次起义时所用旗帜为"黑旗白边"。（16）明显具有

"坎、兑合流"的特征。坎门的特色信仰也在梅花拳的香理上得到体现。（17）综上所述，义和拳信仰是在"汉教"信仰基础上，融进道教成分，又颇具自身特色的多神信仰。

二、从梅花拳到"义和拳"

赵三多领导的梅花拳介入梨园屯教案，使该教案成为义和拳（团）运动的导火索。

梨园屯教案与"十八魁"。梨园屯的民教抗争从清同治年间开始，一直延续到光绪二十四年（1898）。就其斗争的主体而言，以早期士绅领导的反教会斗争，到"十八魁"的武力护庙，及至"梅花拳"介入梨园屯教案，进而发展为义和拳的反洋教斗争，其间经历了各种社会力量的递嬗、变化，其中十八魁的出现与领导义和拳的反洋教斗争是尤为关键的两个环节。

1892年，以士绅王世昌为首的"六大冤"呈控失败而退出反教会斗争之后，（18）阎书勤为首的"十八魁"挺身而出，成为梨园屯反教会斗争的中坚。外国传教士对"十八魁"的出现十分震惊。光绪二十四年四月，直隶东南代牧区耶稣会法籍传教士任德芬给吴桥县令送去了关于十八村拳民的一份匿名揭贴，并提供了"十八魁"的名单。（19）他们是阎书勤、阎书俭、阎书堂、阎书太、阎三妮（本名阎士杰）、阎四妮（本名阎士和）、阎士林、阎铭见、阎二别种（本名阎兆凤）、阎福来、高元祥、高元太、高二叉子（本名高元春）、马廷凤、马廷梅、马步月、姜宗山、刘三。从我们在梨园屯的社会调查情况看，其最初当为18人，后来，参加护庙斗争的骨干有所增加，调查中仅知名者已达25人之多。"十八魁"成为梨园屯武力护庙英雄们的代名词。所以村民传有"新十八魁"、"老十八魁"之说。上述名单中除了三户是"自耕农"，其余全是贫雇农，所以这些人斗争性最强。

59

日本学者佐佐木正哉分析梨园屯教案时曾认为，通观中国当时各地发生的教案，几乎都是在士绅、读书人扇动下进行，而梨园屯教案则在士绅呈控失败后由"十八魁"成为主要力量并掌握这一运动的领导权，"这就是梨园屯教案不同于其他教案之处"。（20）可以说，若没有阎书勤为首的"十八魁"的出现及其顽强的斗争，梨园屯教会斗争很有可能在1892年随着士绅的妥协而偃旗息鼓。

随着教案事态的发展，十八魁清楚地认识到仅仅依靠梨园屯村"汉教"村民的势力是无法与教会势力抗衡的，而只有借助赵三多的梅花拳势力才能与教会势力相对抗。所以十八魁在他们的反教会斗争遇到挫折时，便加入梅花拳，借助梅花拳的支持，使斗争进一步向前发展。

清光绪二十三年二月二十二日（1897年3月24日），赵三多的梅花拳为了声援十八魁的反教会斗争，传帖聚众，在梨园屯"亮拳"三天，这是赵三多的梅花拳向外国教会势力的一次示威。这次斗争是赵三多的梅花拳为主体的一次反教会斗争。时隔月余的三月二十六日（4月27日），十八魁和梅花拳聚众攻打梨园屯，展开了武装反教会斗争。在这次事件中，有两名教民被杀，教堂被拆毁。参加这次攻打梨园屯的有二千多人。档案记载说，攻打者"皆直隶威县、曲周之人居多"。（21）经调查得知他们主要是直隶威县沙柳寨一带和曲周"十八村"、邱县"十八村"（现均属威县所辖，距梨园屯颇近）一带的梅花拳民。赵三多的梅花拳"一夜即呼聚万人"，（22）使外国侵略者十分震惊。关于这次斗争，官方档案和教会文献中均已出现有"义和拳"的记载。赵三多在起义前，常与朱九斌、刘化龙、姚文起（即姚洛奇）等秘密串连。朱九斌自称朱明后裔、刘化龙自称刘伯温之后，二人主张"排满兴汉"、"复明反清"。姚文起为梅花拳传人，是义和拳起义中的激进分子，赵三多也具有较强的民族思想，起义之前四人频繁接触。赵三多的梅花拳介入梨园屯教案及与朱九斌、刘化龙、姚洛奇等的来往，使梅花拳内部有些人怕赵三多闹出大乱子，便劝说赵三多。郭栋臣曾记述说："后来劝的人多了，·赵就说了，赵三多是骑虎不能下背了，我不干，天主教也就未必放我过关，诸位老师放心，我闹事决不碍梅花拳的事，以后若失败，我想叫咱同道老师们隐避我哩，再不必劝我了，自此以后，也就无人劝他了，赵三多将这一派改称义和拳，收徒弟，亮拳摆会，均挑义和拳旗号。"（23）据此可知，赵三多改梅花拳为义和拳的时间，应在梨园屯"亮拳"之后，义和拳攻打梨园屯之前，即1897年3月至4月的一个月间。

赵三多的梅花拳为什么采用"义和"二字作为名号呢？普遍的解释是，取"义气和合"之意。中国人处世为人最推崇"义和"这两个字。所以威县有"义和保"；（24）有村名义和营；有乡团名"义和团"。（25）义和（乡）团源于义和保，义和（乡）团即威县城北"义和保"的团练会。赵三多的义和拳（团）并非乡团，赵三多的故里沙柳寨村清时属直隶威县城东的"配义保"。（26）其乡团名"配义团"，与赵的"义和拳"风马牛不相及，二者亦无因袭关系。早在清乾、嘉年间，直隶、山东一带就有"义和拳"名色，并引起清当局注意。如南宫营七（档案记为简七）、冠县杨四海等均以"义和拳"罪名遭到镇压。"义和拳"一直被清廷视为"邪会"而受到密切注视。赵三多的嫡系师爷（八辈）杨士增因与涉嫌"义和拳"名色的大名瞿贯一案有牵连，与杨玉常、李凤德一起，被清廷以传习拳棒违反禁例"杖一百、流三千里"。（27）清光绪二十三年（1897年）十一月，山东冠县知县曹倜劝谕赵三多时，赵三多混淆官府视听，把他领导的义和拳（团）说成是"成立于咸同之际"的义和（乡）团，目的在掩盖其"邪会"性质与"不轨"之实。昏庸的曹倜确被机智的赵三多所蒙蔽，以致产生"拳民本名义和团"的错误概念，他这一概念，也被张汝梅所接受。或者说地方官为掩息事态，宁可认其为乡团，也不报其为"邪会"。所以山东巡抚在光绪二十四年五月十二日奏折中说："据称直隶、山东交界各州（县）人民多习拳勇，创立乡团，名曰义和，继改称梅花拳，近年复沿用义和名目。"（28）此折是在赵三多改梅花拳为义和拳的下个月，光绪二十四年五月十二日上奏的。直到一年多以后，即光绪二十五年十月二十九日发的奏折中仍说"更有创立乡团，学习拳勇，名为义和拳者。""其实该团成立于咸同之际，在洋教未建教堂之前。原为保卫身家，防御盗贼起见，并非结党聚众，故与洋教为难。"（29）这时赵三多的义和拳在正定大佛寺会议后，正在酝酿第二次起义，山东朱红灯的义和拳正闹的热火朝天，山东地方官仍在弹着义和拳（团）是乡团的老调。赵三多改义和拳为"神助义和拳"。（30）广发《神助拳、义和团》揭帖，并主动联合白莲教系统的"白门"、"红门"一起斗争。赵三多领导的义和拳的重要一支，即以阎书勤为首的红拳派的一股，频繁活动在直隶、山东交界一带各府县，与山东平原、茌平、长清、夏津一带的神拳"交通尤多"、"声气相通"，相互声援，共同战斗。他们集结在"义和拳"的旗帜下，把"降神附体"、"附着人体把拳玩"的神拳风习与金钟罩的喝符念咒、刀枪不过的形迹结合在一起，共同创造了为而后义和团所崇尚并采用的一套"宗教仪式"，为义和团运动树立了典范。劳乃宣以其敏感的嗅觉似窥其端倪，他认为这"义和"二字有其来历，并为官民皆视拳民为义民而扼腕叹息。他在《劳乃宣自订年谱》中说："义和拳教门者，白莲教之支流也，其源出于八卦教之离卦教。嘉庆间惩禁有案，而根株未能尽绝，直、东州县犹有潜相授受者。上年，其党类在山东冠县以仇天主教为名，聚众为乱，而官民皆目为义民，纵容姑息，其势日盛"。（31）劳乃宣认为赵三多，阎书勤的冠、威义和拳即乾、嘉年间惩办的"义和拳"，此说应视为对义和拳"义和"二字的另一种重要解释。另据《梅花拳秘谱》记载:"五势梅花拳为昆仑派。五势梅花拳是一种,八卦是一种,此两种拳为昆仑之基本拳。昆仑派之祖师化名云盘,在西域天盘云程孝贤清静宫玄金殿,在昆仑山,所以有昆仑派之称"。(32)威县著名梅花拳师父张书周曾言,"梅拳的佛在西域天盘云程孝贤梅花山义和洞。"由此可见,赵三多所取"义和"二字是源于传说中其神佛祖师所居仙山洞府之名。

三、义和拳首举义旗

赵三多领导的义和拳民(梅花拳与红拳等)于光绪二十四年(1898年)秋,在山东冠县蒋庄(今属河北威县所辖)马场以"义和拳"名义起义,在中国北方首先打起"助清灭洋"这一类旗号,开义和团运动之先河。赵三多领导的义和拳起义之所以为国内外史学家所重视,其重要原因有:一是赵三多的义和拳为义和团运动提供了名号。"义和团"之名称首先是由山东地方官员针对赵三多的"义和拳"而提出的。后来的义和团运动虽是大刀会、红拳、神拳、梅花拳、金钟罩、义和拳等拳会的汇合,而赵三多的义和拳(团)则贯穿整个运动全过程。路遥教授说:"义和团运动从某种意义上说也可以看成是义和拳运动的延续与发展。"(33)从义和拳(团)运动发展的角度考察,山东朱红灯和冀中王庆一的义和拳明显受到赵三多义和拳的影响。赵三多的义和拳正定大佛寺会议上"神助义和拳"名号的提出,对义和团运动的高潮的到来起了不可低估的作用。二是赵三多的义和拳起义后,尽管很快被清军镇压,但其"助清灭洋"这一类口号与"义和拳"旗帜却被义军带到山东、冀中一带,成为燎原的火种,这一口号还争得了清朝爱国官绅、士大夫和清军将士的同情与支持,扩大了反帝爱国的"统一战线",使清政府处于"剿抚两难"的境地。再者，"助清灭洋"口号成了号召广大人民的一面旗帜。力主镇压义和团的吴桥县令劳乃宣论及此口号作用时说，义和团"以扶中朝灭洋教为词，声言为国家出力，非特托名于义，抑且托名于忠。故与教民有嫌隙者为其所动，与教民无嫌隙者亦为其所动。其簧鼓众听得力全在于此。"他还说："非特愚民为其所感，学士大夫亦所不免。"（34）

赵三多领导的义和拳首义时间为光绪二十四年（戊戌年），《刘含锷功德碑》记载："光绪戊戌，拳匪猖乱，惨杀教士，为祸最烈。"（35）《重修威县志》（民国十七年版）载："二十四年秋，沙柳寨义和拳民赵三多率拳民扰乱城东一带村庄。"（36）冠、威义和拳戊戌起事，从当时《山东临清州电禀》和《山东巡抚张汝梅致直隶总督电文》中都可看到，是无可争议的。但关于起义的具体时间，史学界一直众说纷纭。影响较大的提法有两种：第一种，义和拳起义于清光绪二十四年八月十八日（10月3日）。（37）当年曾参加赵三多义和拳的郭栋臣先生所撰《义和团之缘起》及《郭栋臣回忆录》（38）中都确切记载了这一时间。第二种，起义于九月十一日（10月25日），依据是威县赵家庄法籍神父伊索勒（汉名赵席珍）的日记。赵家庄距威县县城约18华里，距蒋家庄约30华里，伊索勒是当天上午十点钟听到起事消息的。（39）究竟哪一种准确呢？据《总署档》记载，起义是在九月，姚洛奇等闻山东地方文武衙门出示批票逮捕拳民，"疑系临清小芦等处教堂所致，随即起意传帖聚众，拟合教堂拼闹。"姚文起因鉴于赵三多不愿出头，"随叫人于九月十二日将他架到直隶、山东交界处所逼胁出头。"（40）根据以上资料分析，10月25日（九月十一日）起事确有其事，但伊索勒日记并未说明起义的地点为蒋庄。赵三多的曾孙赵安居则坚持第一种观点，他在给笔者的亲笔信中说："关于我曾祖赵三多第一次起义日子一事，这个日子是多少年都经过在那时老人证实了的，同时，我爷爷和我大爷曾多次给我讲过，每逢八月十五都提到八月十八日这个日子，同时在50年代已调查过，现在已百岁者也证实了这个问题。"郭栋臣先生是亲自参加赵三多义和拳起义的人，且为赵之文书，事虽过几十年才写的回忆录，因是亲历的重大事件，断难记错；赵三多后裔安居先生又言之凿凿。论者认为：赵三多的义和拳先于是年八月十八（10月3日）在蒋庄聚众起事，所以山东文武衙门才出示批票逮捕拳民。阎书勤、姚洛奇得知官兵欲拿获拳民，又因小芦官兵在沙柳寨与村民因拿牛肉发生冲突，引发了事态，义和拳民复于九月十一日（10月25日）起，采取了更大规模的军事行动。11月2日，夜焚红桃园，3日焚第三口教堂和教民房屋。11月4日，姚文起（即姚洛奇）等义和拳民即被清军打散，姚等被捕，赵三多率余部转移到西留善固一带。这时临清知州王寿朋致电山东抚宪和洋务局，告以拳民姚洛奇滋事，"仍是赵拳之意"。（41）这说明：在此之前，赵的义和拳曾起事，后来这次仍然是受赵指示的。论者认为：首义时间应为八月十八日（10月3日）；光绪二十四年九月十一日（10月25日）的义和拳活动应视为起义之后的更有组织，更大规模的武装斗争。

关于赵三多首次起义的旗号问题，史学界有不同的说法，据考说法有五种之多，吴宣易所译《庚子义和团运动始末》一书，较早地提出这次起义口号为"扶清灭洋"，（42）并注明此文是根据赵家庄法国教士伊索勒法文日记翻译。路遥教授《义和拳运动起源探索》认为赵三多义和拳起事队伍的旗帜是"顺清灭洋"。（43）其根据也是伊索勒神父的日记，路先生是根据河北省博物馆法文原件及上海光启社沈保义先生译文。路先生认为法文"Obessance Aux Tsing, more aux Europens"译为"顺清灭洋"似乎比"助清灭洋"或"扶清灭洋"更符合法文原意。美国周锡瑞的《义和团运动的起源》还列举出"从清灭洋"，"举清灭洋"两种译法。（44）当年参加赵三多义和拳的郭栋臣先生在其《义和团之缘起》和《回忆录》中都说赵三多义和拳起义"旗书'助清灭洋'"。（45）笔者认为赵三多义和拳起义的口号是"助清灭洋"是无可置疑的。首先郭栋臣先生是起义的亲历者，决不会连起义口号都淡忘掉。解放初期一些参加过起义的义和团民还在世，赵三多的曾孙赵安居50年代走访参加起义的诸多老人，都说当时的口号为"助清灭洋"，从赵三多的义和拳曾活动的景州、枣强、阜城的调查资料看，义和拳的旗号也是"助清灭洋"。鉴于"扶清灭洋"、"顺清灭洋"、"从清灭洋"、"举清灭洋"四种口号均根据《伊索勒日记》译出，应对此提出质疑，论者认为翻译过程中有三个容易出错的环节。首先伊索勒是据传闻用法文记录的。述说者不一定是亲历或目睹者，所说未必准确；再者，译成法文再从法文译回汉文，要经过两个翻译环节，均为意译，遣词表意难以避免差错。同一法文件竟译出"扶清灭洋"、"顺清灭洋"、"从清灭洋"和"举清灭洋"四种。这一事实便充分说明几种译法的不准确，很难令人信实。

四、正定大佛寺会议前后的斗争

正定大佛寺聚议，是义和团运动史上一块重要的里程碑。

光绪二十五年四月初八（1899年5月17日）是释迦牟尼佛的生日，赵三多传帖给各县各场的重要师傅头，以烧香为名，在正定大佛寺秘密聚会。会上，赵三多向大家报告了义和拳起义及失败的经过，分析了失败的原因。赵在会上听取并接受了河间李某的建议：联系静海、青县、东光、南皮各县的红门（铁布衫）一起斗争。商定会后各路头领分头到商河、献县、青县和畿南滹沱河两岸各县广泛展开活动，以取得其他教门、会社的广泛联合与大力支持。（46）正定大佛寺的聚会，还有一个很重要的决策，就是赵三多将义和拳改名为"神助义和拳"。这一决策极大地促进了赵三多这支以梅花拳、红拳为主体的义和拳与其他教门、会社、拳会的联合。著名的《神助拳、义和团》揭帖是正定大佛寺会议发出的一篇战斗檄文。这一揭帖是义和团运动中流传最广、影响最大的揭帖之一。极大推动了山东、直隶、山西,特别是京、津一带义和团高潮的到来。

　　正定大佛寺聚议,因为是义和拳的一次秘密聚会,官方档案资料阙如。郭栋臣的《补充义和团之资料》对这次会议记述比较详细,弥足珍贵。经调查,大佛寺会议确有其事并有碑刻记载。正定大佛寺(隆兴寺)内宣统元年立石的《意定和尚功德碑》有如下记述:"方义和拳之始猖也,四方不逞之徒不期而云集寺者屡矣。借以设拳为名,实欲以长其妖丑之计,势甚猖而焰甚张,理谕之不能,势禁之不得。意定乃婉词谢绝之,且资送以分遣之。"(47)据《郭栋臣先生回忆录》记载,这位老和尚(僧道官)是秘密支持义和拳的一个重要人物,他受赵三多之托,负责秘密传递各路义和团信息。(48)大佛寺则成了义和拳的"地下交通站"。大佛寺会议后,义和拳(已改名为神助义和拳,俗称义和神拳)于是年六、七月逐渐铺开,七、八月间直鲁交界的茌平、平原、夏津、长清、冠县等处和神拳的活动如火如荼,到腊月间,其活动已如燎原之火势不可遏。

　　赵三多北上后,在景州、枣强、阜城和正定一带活动,光绪二十五年春,这一带义和拳活动已蓬勃开展。据赵三多的曾孙赵安居谈,沙柳寨拳民赵含瑞曾告诉他,"赵三多第一个坛口就设在王庆一村,王庆一是赵(北边)的第一个徒弟,赵在该村教拳术"。(49)这一说法,尚缺其他资料证实。但从《郭栋臣回忆录》和其他记载分析,赵三多这段时间确实活动于这一带。再从《河北景州、枣强、衡水地区义和团调查资料选编》这份资料看,(50)枣强义和拳从光绪二十四年冬就已开始传播,最早的拳场是设立在张家屯，拳首为王庆一。这恰与赵三多的同乡义和拳民赵含瑞的说法相吻合。（51）再从王庆一采用"义和拳"的名号和"助清灭洋"的口号看，"显然它是受冠县、威县义和拳的影响"。（52）这时王庆一练的即赵三多的义和拳（梅花拳），王庆一后于光绪二十六年（1900年）在枣强县树起"直隶保定府枣强县五祖神团"大旗，（53）其"五祖"盖与道教全真道北五祖有关。（54）因梅花拳曾归宗全真教之龙门派，自称为"金莲正宗七真法派"，亦信仰全真道的神祇与祖师。其"神"字是赵三多正定大佛寺提出"神助义和拳"后才出现的。从以上情况看，王庆一是赵三多的徒弟、张家屯是赵北上后的第一个坛口的说法并非空穴来风。

光绪廿五年十二月，阎书勤、王玉振的义和拳民转移到直、东交界的邱县常屯（今属威县）一带传贴聚众，攻打教堂、抗拒官兵，展开了英勇的斗争。直督裕禄致电袁世凯，请直东两省"合力捕缉"，袁世凯令副将马金叙率队赶往弹压，阎书勤等俘获山东冠县官兵带队曹中明，马勇张全待。1900年1月11日，阎书勤率义和团民进攻梨园屯，与官兵遭遇，发生激战，团民乘夜幕败走王世公一带，并将掳来之教民许法兴杀死，弃尸鲧堤之上。（55）光绪二十六年二月十三日（1900年3月13日），威县王玉振的义和团在山东武城杨庄与清军武卫右军、东字正军的马队激战，"开炮轰击，抗拒官兵"，由于遭临清州之东字前营，驻武城之东字左营夹击，义和团民战败，王玉振壮烈牺牲。

关于赵三多在枣强的第二次起义。郭栋臣先生《补充义和团之资料》有如下记载："光绪廿六年四月初四日，赵三多在枣强县卷子镇南卷子包庄，借摆会亮拳为名，聚起人来，聚了有千多人，征求众师傅头意见，未等师傅议妥，大众即立'助清灭洋，杀尽天主教'的旗来，即将临近的教堂烧了。有的教民听说义和拳摆会亮拳，自己作恶过多，有自己先跑了的，也有被杀了的。"（56）关于这次起义鲜见其他记载。近年付梓的《枣强县志》关于这次起义的记载时间则比郭栋臣回忆的早一年。

枣强卷子镇第二次起义后的五月间，由于直隶南部大旱，"粮价日增，秋苗未播种，人心惶惶"，（57）贫苦百姓纷纷参加义和拳起义队伍。官方档案记载："天时亢旱，贫民过多，麇集之众虽声称系属义团，然查看情形，实皆无业穷民，居其大半。"（58）赵的义和拳（团）队伍空前壮大，便将队伍分开活动。"赵三多带着一股，由运粮河西向南进攻。阎书勤带着一股，由运粮河东往南进攻山东恩县、夏津、武城。"（59）官府惊呼："该匪等逃窜南来则临清一属与冠县等处先受患。"（60）赵三多率领义和拳群众和饥民万余名，在直隶东南部一带，打击教会势力的同时，又开展了"均粮"斗争。"强令富户均给粮食"，（61）官府深以为患。

光绪二十六年六月十三日（7月9日），赵三多率领义和拳民攻打临清小芦教堂。义和团首领谭奎芳（外号"黑锅底"）率众来援。义和团烧小芦教堂，教士在官兵掩护下逃往济南。团民还焚毁了红桃园、小里固教堂。

光绪二十六年六月二十日（7月16日），留在景州，阜城一带的义和拳正在攻打朱家河教堂，与此同时，阎书勤的义和团与义和团首领牛豁子、孙汉章等联合，并"邀请卫河两岸"义和团众，攻打了武城十二里庄教堂，因教会武装装备精良，义和团未能攻下，但义和团队伍却空前壮大。

是年七月二十三日（8月17日），阎书勤折回梨园屯，遭官兵偷袭，阎书勤被俘，团民突围至干集，被洪用舟官兵伏击，死伤严重，多人被俘。七月二十五日至二十七日，阎书勤和二十九名义和团首领，在临清老山头英勇就义。阎书勤临刑前，引吭高歌，"我阎书勤一不响马，二不贼寇，为了玉皇皋把命丢。"充分表现了视死如归的革命精神。

阎书勤等义和团领袖牺牲后，阎书勤余部刘步岭（外号刘三、常屯人）、史及善（红桃园人）等于闰八月十八，夜袭红桃园，杀死教民林明山等16名教民，后被冠县官兵寻捕，史及善战死，刘步岭、张学功（广宗人）被俘后处以斩刑。"将首级传赴犯事地方悬杆示众"。（62）十月初二日，夏津县官兵偷袭张堤村，十八魁之一的阎书柬（俭）和任王氏等被俘，何洛有（任之义子）、刘法牺牲。（63）阎书俭、任王氏旋遭杀害。

是年九月二十六日（11月17日），赵三多的义和团，在直隶威县沙柳寨附近被袁世凯所派重兵包围，死伤惨重。赵三多突围后，转移活动于直隶、巨鹿一带，伺机东山再起。

五、"扫清灭洋"起义的先锋

八国联军占领北京、天津后，中外反动势力联合剿杀义和团。清政府表示"量中华之物力，结与国之欢心"。在庚子"大赔款"的同时，地方政府和广大人民还要承担巨额的教案赔款。当时威县的教案赔款为京钱十六万吊；广宗的教案赔款为制钱一万吊。（64）由于广宗知县王宇钧"强令各村按地亩摊捐每亩四十文，民皆视为洋捐，众怨沸腾"。（65）广宗县在景廷宾和刘永清等人的策动下，组织"连庄会"，撅起了抗洋捐的斗争。

赵三多在广宗抗捐期间，往返活动于巨鹿、广宗、威县之间。他与广宗油堡郑安治、巨鹿联庄会总团头樊丙刚及义和团余部取得联系，支持并参与景廷宾领导连庄会举行武装起义。

光绪二十八年正月二十四（3月3日）正定镇董履高、大名道庞鸿书率兵攻破东召村，"焚掠极惨，故乡民仇教而外继仇兵"。（66）

清军血染东召后的50天中，赵三多为起义做了大量的工作，他传帖聚众，秘密联系了义和团旧部两万余人。参加了是年4月

70

23日在巨鹿厦头寺举行的"扫清灭洋"大起义。赵三多为先锋，自率一军，所用旗帜为"黑旗白边"。（67）

关于这次起义"扫清灭洋"口号的提出，究竟出自何人？笔者认为，是赵三多、刘永清等义和团首领首倡的。赵三多具有较强的民族思想，在义和拳起义之初，赵就曾提出过"除清灭洋"的口号。（68）当时接受了张老先的建议，才将口号改为"助清灭洋"。在景廷宾起义队伍的高层领导内，除景之外，全部是原义和团首领。血与火的洗礼，义和团民和东召人民的鲜血擦亮了他们的双眼。清政府在他们眼中不再是国家和社稷的象征，而是真正的敌人。所以，由赵三多、刘永清等义和团首领首倡"扫清灭洋"的口号，是顺理成章的。

赵三多的起义是景廷宾起义军的一支劲旅。赵三多巨鹿厦头寺起义后，一直与景廷宾并肩作战，起义军进入件只后，以之为大本营，在威县境内展开了轰轰烈烈的反洋教斗争。起义军杀死了法国神父罗泽溥，使中外反动派极度震恐。在5月9日件只战役中，赵三多率领义和团战士死守南门，给清军以重创。突围后，在巨鹿姬家屯被捕，因于南宫监狱，绝食而死，表现了一个民族英雄的高风亮节。

赵三多和他领导的义和拳的斗争在义和团运动史上占有重要的地位。赵三多自1898年秋起义至1902年牺牲，历时五年，起义三次。坚持斗争时间最长，活动范围最广、影响最大。他是义和团运动史上唯一身历义和团运动始终的重要领袖。因此，对赵三多及其领导的义和拳斗争的研究有着极其重要的意义。现仅以拙文提出自己不成熟的见解。虽未敢掉以轻心，仍恐舛误不免，甚望得到师友们的教正。

【注释】：

（1）、（20）、（43）、载于路遥主编的《义和拳运动起

源探索》第90页、第64页、第105页。（山东大学出版社、1990年9月第1版）

（2）、（3）、载《三教根源妙法经》，赵三多曾孙赵安居收藏。

（4）、《义和团史册》上册第269页

（5）、习云太著《中国武术史》第261页，人民体育出版社1985年12月第1版。

（6）、张守常论文《说神助拳、义和团揭贴》，载《义和团·华北社会·直隶总督》一书，第3页。

（7）、《梅花拳在广宗的发展与经历》（华贵海文），《广宗文史资料》第三辑第117页。

（8）、（9）、《道教文化百问》第94页。

（10）、《三教根源妙法经》（以下简称《根源经》第19页载："正当阳悬坐着开天老祖，开天祖法王祖还是收元"。杨炳《习武序》载："收元老祖即天地也。言一元之气，化生万物，成始成终，故为收元老祖。"

（11）、《根源经》载："当初无有天地，空而又空，不离混沌之气，气内发出一位无生妙玄，混沌就是头母化出"。

（12）、梅花拳传说慈濛祖为古三祖之一，《根源经》记载，"说源流根本来三家老祖，古三祖又六字名号表清；有开天混元祖慈濛佛祖，三家祖六个字不念不成。"第三炉也有供"均（钧）天教主"者。

（13）、见《根源经》（王氏本）第32页。"金巴砖砌一条朝阳大道，往前走拜佛祖先天收元；往上拜老君爷头天老母；右边拜文官祖（指孔子）慈濛佛天。"

（14）、此资料系赵三多四代孙赵安居先生1988年11月13日所提供。

（15）、《根源经》（王氏本）第32页载："拜中央紫金塔

72

金佛金祖，发慈悲超度俺行道平安。"

（16）、《汇报》第380号，光绪二十八年四月二十一日。

（17）、神拳供玉皇、真武，大刀会（坎门）供真武。梅花拳传统五炉中，第四炉为东都（土）古佛；第五炉为五方五帝，但笔者收藏的一种《根源经》记载："玄天祖在世上苦功甚大，玉帝爷收宝剑斩妖除精。"玄天祖指真武大帝，供于第五炉。

（18）、指该村六位有功名有身份的领头人，人称"六先生"，他们是：王世昌（文生）、刘长安（文生）左建勋（监生）、高东山（文生）、阎德盛（武生）、姜老亮（监生）。

（19）、《总署收法使毕盛照会》附粘单，光绪二十四年五月二十七日。

（21）、《总署收山东巡抚张汝梅文》，光绪二十四年四月二十九日，载《义和拳运动源流探索》第175页。

（22）、《马副将金叙禀》光绪二十五年十二月十二日。

（23）、（37）、（46）、（48）、（56）、郭栋臣《补充义和团之资料》第一节，第三节。

（24）、（25）、义和保辖九个村庄：即章台、中章台、北章台、大章台、南章台、北胡帐、中胡帐、杨庄、王撞。庚子年后，更名"宁靖保"。义和（乡）团是威县义和保的乡团。

（26）、配义保在威县县治东，清代在直隶境内的山东冠县北"十八村"的南侧，老沙河以东的沙柳寨、侯沙寨、魏沙寨、罗庄、张庄及以东一带为配义保，庚子后，分化出志诚保、太和保、永和保。

（27）、乾隆四十四年一月初四日胡季堂、喀宁喀奏、乾隆四十三年十二月二十七日山东巡抚国泰奏。转引自路遥论文《义和拳教钩沉》第13页。

（28）、山东巡抚张汝梅折（光绪二十四年五月十二日），见路遥主编的《义和拳运动起源探索》第176页至177页。

（29）、《山东巡抚遵旨复陈东省现办教案情形折》。转引自路遥主编的《义和拳运动起源探索》第178页。

（30）、（37）、郭栋臣《义和团之缘起》，见《河北文史集粹》社会卷第8页、第3页。

（31）、《义和团史料》上册416页。

（32）、张士闪文《梅花桩拳派的起源与传承蠡测》，载《义和团研究会通讯》总第22期。

（33）、路遥主编《义和拳运动起源探索》第4页引言。

（34）、《义和团》第4册，第473、470页。

（35）、《刘含锷功德碑》，原拓李金鹏收藏。

（36）、《重修威县志》（民国十七年版）、兵事志。卷二十，第八页。

（38）、《山东义和团调查资料选编》第329页。

（39）、此事见《处于临战状态的赵家庄堂口》，载路遥主编《义和拳运动起源探索》第212页。此译自法文《中国与锡兰》1898年本。

（40）、《总署档》，光绪二十四年十二月十二日《北洋大臣裕禄致总署咨文》。

（41）、《临清州发山东抚宪电》、光绪二十四年九月二十二日，载《筹笔偶存》附录，第691页。

（42）、正中书局，民国三十年版本第4页。

（44）、[美]周锡瑞《义和团运动的起源》第187页。

（45）、《山东义和团调查资料选编》第329页。

（47）、此碑录文节选见《义和团史料》上册第404页。

（49）、赵安居根据早年调查书写的资料，原件赵三多研究会收藏。

（50）、（51）、（52）、（53）、路遥、程啸合著《义和团运动史研究》第393页、389页、415页。

（54）、道教全真道"北五祖"指东华帝君王玄甫、钟离权、吕洞宾、刘操、王重阳。见《道教文化面面观》第171页。

（55）、《冠县会禀》光绪二十六年十月十三日，载《山东义和团案卷》上册第458页。

（57）、（60）、《东昌府禀》，光绪二十六年五月十九日，载《山东义和团案卷》上册第364页。

（58）、《东昌府禀》，光绪二十六年六月十六日到，见《山东义和团案卷》第366页。

（59）、郭栋臣撰《补充义和团之资料》，载《赵三多和他领导的义和拳》第42页。

（61）、《山东义和团案卷》下册第925页。

（62）、《山东义和团案卷》上册第459页，《冠县禀》二十六年十月二十三日（1900年12月14日）。

（63）、《夏津县禀》廿六年十月初六日到（1900年11月27日）载《山东义和团案卷》下册，第810页。

（64）、《庚子畿疆教案赔款记》，（王振声著）载《义和团史料》第475页。

（65）、（66）、《广宗县志》一九三三年铅印本，卷一，《大事记》。

（67）、《汇报》第380号，光绪二十八年四月廿一日。

（68）、赵三多后裔赵安居根据早期调查所写的《证明材料》，（未刊稿），赵三多研究会藏。

试论拳变时期的义和拳斗争

尼米聪　　李金鹏

冠、威义和拳蒋庄起义是义和团运动的正式发端，梨园屯教案是冠、威义和拳（团）起义的导火索。近人戴玄之曾指出："拳变时期的义和团是由光绪十三年山东冠县梨园屯教案演变而来。①"此说在史学界颇具影响。现从梨园屯教案分析入手，就冠威义和拳（团）起义的缘起、发展及成因试作探讨，就教于史学界同仁。

一、乡绅领导的早期反教会斗争

该教案发生于清代直鲁交界一带的梨园屯村。此村现为河北省威县所辖，清时属于山东冠县北"十八村"之一。②这"十八村"既不在山东冠县境内，也不与山东北境相连，却是当时山东冠县在直隶境内的一块跨省"飞地"，位于今河北威县境内。山东官方档案记载："查梨园屯孤悬河北直隶境内，为南宫、威县、清河、曲周等县村庄所环绕，距县城百四十里，距府城二百五十里。"③

十九世纪六十年代，外国传教士的足迹已深入到直、鲁交界一带，自此，民教纠纷迭起，清朝官吏袒教抑民，致使民教矛盾日益激化，加之这一带特定的社会、地理环境，终于引发了持续二十余年之久并最后导致义和拳（团）运动爆发的梨园屯教案。

梨园屯教案起于玉皇庙地之争。早在清康熙年间，本村士绅李成龙等公捐坡地一块，④建立一所义学，后来在义学后面建了一座玉皇庙。咸丰季年，玉皇庙毁于兵燹，三街首事无力修茸。至同治年间，天主教耶稣会、方济各会已渗透到直鲁交界各州县。同治八年（1869年），梨园屯的天主教徒已发展到二十多户。是年，村中民教双方都要求分配义学公产，经该村三街会首、地保及执事人等公议，将土地、义学、庙宇按四股均分。汉教民众分得坡地三十余亩；教民分得房室一处，上带破厅三间，破西屋三间，大门一座，计宅地三亩零九厘一毫。⑤因教民无力修盖，便将此地基献给外国传教士梁宗明。同治十二年（1873年），梁宗明以个人名义在宅地上拆庙建教堂，引起村民公愤。其做法不仅严重地伤害了汉教民众的宗教感情，也与有关传教条款章程相悖逆。汉教以三街会首阎立业为首，教民以王贵龄为首互控到县。冠县令韩光鼎以同治八年原分单为依据，审断可以在庙地上盖堂，并将阎立业等人以滋事之由分别责押，以示惩罚。后经河北文生朱生堂等人公恳保释。

光绪七年（1881年）正月初九，该村举行玉皇庙会，乡民雇得彩船、小戏庆祝。当这些民间艺术队伍经过天主堂门外时，由于游人聚观拥挤，将教堂大门挤开，游人与教民发生口角。天主教方济各会山东主教顾立爵便以此为借口，怂恿法使出面干涉，并捏造谎言说有砸毁教堂大门，强逼教民住宅作戏子寓所及将土神送入教堂情事。法使强令总理各国事务衙门（以下简称总署）行文山东巡抚处理庙堂问题。山东巡抚任道熔向法使指出，所责各节，"似与原案未符"。最后审断时，因前断"本未定议断给教士永远承管"，又考虑该教堂建有多年，不便骤令搬出，故议定先将原宅基归教民"暂行借用，俟该教民等另买地基设立教堂，再议归还"。⑥这就改变了原判决。

光绪十三年（1887年）春，村中教民王三歪领头扩充地基欲建教堂房屋，于是又引起村民公愤。梨园屯村长左建勋、三街会首刘长安、阎立业等集合庄众数百人拆堂建庙，各执器械阻止建堂。为此双方又控告到县。后经十八村梁庄的著名绅耆潘光美等出面调停，民教双方都不愿将争讼延续下去。教民王三歪等"情愿将教堂所占庙基归于该村为庙"；刘长安等"亦情愿另购地基为王三歪等新建教堂"。⑦知县亦考虑："若令嫌隙滋深，难保不别酿祸患"，于是说："即经绅耆调停，两造悔悟请和，莫如就此完结，以期民教得以互嫌，永远相安。"⑧经过此次议结，梨园屯民教相安的局面持续了二年之久。

从教案缘起和群众早期的反教会斗争不难看出，教案的起因主要是由于传教士强占庙地公产、毁庙建堂的侵略行径造成的。早在清同治四年（1865年）二月，总署致江苏巡抚李鸿章的咨文中只说嗣后传教士"如买地为建堂之用，其卖契内只可载明卖作本处天主教堂公产字样。若系洋人在内地置买私产，与条约不合，仍应禁止"。⑨到同治十年（1871年）总署与各国大臣所商办的传教条款中，又有专款规定："所有教中买地建堂，或租赁公所，当与公正原业主在该管地方官呈报查明，于风水有无妨碍。即使地方官核准，尤必本地民人众口同声，无怨无恶，始可照同治四年定章注明契上。"⑩直到光绪二十一年（1895年），才有了"教堂买产毋庸先报地方官"的新规定。（11）传教士梁宗明以个人名义拆庙建堂，实则违背了总署的传教章程的规定，教会势力在这里所表现的侵略性是显而易见的。梨园屯村民的行动完全是为了捍卫地方公共产权的正义斗争，具有反抗侵略和压迫的性质。

通过早期的群众反教会斗争不难看出，士绅始终是作为汉教民众利益的代表面对势力强大的教会的。他们在政治上有功名头衔，在村中享有部分封建特权和一定群众威望，又是拥有田产的殷实之家，和封建地主阶级土地所有制有密不可分的关系，他们的宗教信仰、思想意识与外来的基督教义格格不入。出于捍卫地方公共产权、维护汉教信仰的责任感，势所必然的参加和领导梨园屯早期的反教会斗争。虽然随着斗争的一波三折，他们相继退出直接与教会对抗的斗争舞台，但他们的早期斗争在一定程度上动员了群众，为斗争的进一步扩展开创了局面，奠定了基础。

二、"十八魁"武力护庙及义和拳运动的发端

光绪十五年（1889年）十一月，法使又依据方济各会山东主教马天恩的无理要求，坚持按照同治八年所立地亩分单，要在原庙宅基上建立教堂。（12）光绪十六年（1890年）五月，法使强词夺理说："光绪十三年经潘光美调处，另择地建堂一事，教堂并不知情，该县因何得伊一面之词，私行断结。"并口气强硬地向地方官提出，教士在原有地基上兴工建堂时，要严示该村恶民勿许滋扰！于是已沉寂两年的庙堂之争又重新开始。尽管教会有恃无恐、咄咄逼人，然而村民并没有屈服，村中有侠义之士谓："官已不论法，我们就不守法。"阎书勤、高元祥等十八条好汉挺身而出，以武力护庙，群众誉之为"十八魁"。"十八魁"的斗争得到了广大民众的支持与声援。

光绪十八年（1892年）四月，"十八魁"为壮大声势，从临清州请来道士魏合意赴庙主持，并将以前办团练时所用的枪械也移存庙中，以显示民众武力护庙的决心。与此同时，阎书勤等十八魁又到距梨园屯仅有八里之遥的直隶威县沙柳寨村请来梅花拳众支援。官方档案记载，教民因虑村民阻拦建堂，"遂以梅花队阻止，谋叛为词，向冠县投递信函"。（13）这是梅花拳在近代反对外国教会侵略斗争中第一次显示力量。山东巡抚福润屈服于法使与山东主教的压力，饬济东道张上达亲往相机妥办，解散胁从，严拿首要。张上达到冠县后，令何式箴先将道士魏合意拿获，并督同东昌府李清和、临清知州陶锡棋、冠县令何式箴等传

集附近绅耆，晓以利害，劝说护庙村民解散。遂让各庄首事，将玉皇庙拆毁，将地基交给教会修建教堂。四官员的新判决，博得了洋人的欢心。法国公使李梅在给总署的复函中表示："本大臣因此甚为欣悦。"（14）。

梨园屯村民的反教会斗争并未因此而停止，随着胶州湾事件后民族危机的加深，教会势力进一步扩张，教民听说"十八魁"都在了梅花拳，随即报告给官府，传教士也向地方官施加压力，要求迅速镇压拳众。于是，赵三多决定传帖聚众，趁梨园屯逢集之日，摆会亮拳，向当地教会和官府示威。光绪二十三年二月二十二日（1897年3月24日）开始，在梨园屯"亮拳"三天，四乡"到会者三千多人"。他们短衣带刀，堵塞街巷，驻梨园屯保护教堂的官兵不敢阻拦。继"亮拳"之后，又于三月二十六日（4月27日），梅花拳众三千余人再赴梨园屯，执持刀械，杀死教民两名，将教堂拆毁。梅花拳和"十八魁"声威大震。山东巡抚获悉这一情况后，便命东昌知府洪用舟急速办理此案。洪用舟开始认为"庙基为始祸之根由"，断令将庙基充公，并拿出一个所谓"平允"的办法，为洋人觅地建堂并赔京钱二千串，"一面缉拿凶犯"。但山东主教马天恩却乘机"顿翻前说"，向官府施加压力并提出更多无理要求，山东巡抚又命洪用舟驰往查办。这次洪用舟向教会势力屈服，他于光绪二十四年春正、二月间亲自督带勇队到达梨园屯弹压，并将县令何式箴撤任，由曹倜接任。教会势力又占上风，再次激起了广大梅花拳民的激烈反抗。事隔一年之后，到梨园屯"防剿"的地方防营在禀报中还提到，梅花拳"上年二月，一夜即呼聚万人"，（16）。梅花拳斗争力量的迅速聚集，使外国侵略者感到震惊。法国公使再度向总署提出要迅速议结梨园屯教案，并以逮捕十八魁作为重要条件之一。马天恩表示若能缉拿十八魁归案，可以将教案偿款减去一半。洪用舟为了能逮到十八魁，曾"购觅眼线，四出踩缉"。他还指使勇目诱骗阎书勤，使阎在暗中遭到枪伤；并督率勇役拆毁庙宇，将原庙基交还教民盖教堂。这时，梅花拳的斗争势力已扩及直隶、山东、河南三省交界的大片地区，非府、州、县地方官职员所能控制，梅花拳正准备作揭竿起事的酝酿。

光绪二十四年八月十八日（10月3日），姚文起（姚洛奇）、项老胜等聚众三千多人，在山东冠县十八村之一的蒋家庄村南（当地称马场地）祭旗起义，旗书"助清灭洋"（17）。揭开了义和拳（团）斗争的序幕。清政府对义和拳起事十分震惊。下令直隶、山东两省兵力围剿。一方面令直隶总督饬大名道咨请大名镇率马队前往弹压；另一方面，令两省督抚饬冠、邱、威三县县令会同大顺广道前往"十八村"的中兴集（今威县干集村），召集冠、邱、威三县团总、绅董劝谕赵三多解散队伍。为拉拢赵三多，以达到他们阴险的目的，清政府官员将一面书有"直良可风"的匾额赠予赵三多，赵三多坚拒不受，率弟子退出"鸿门宴"。赵三多等义和拳首领认清了严峻的形势，更加坚定了斗争决心，遂于九月十一日（10月25日）后，采取了更有组织、更具规模的军事行动，焚毁红桃园、第三口等教堂，并准备攻打赵家庄教堂。九月二十一日（11月4日），义和拳遭清军围剿，姚洛奇等在威县侯魏村与清军的战斗中被俘，旋遭杀害。赵三多率义和拳余部转移到临清西留善固村，赵将队伍化整为零，自率部分梅花拳骨干由平乡迂回，往滹沱河以北，运河两岸传播火种。义和拳的另一部分向东，"渐及东昌各属"，把火种撒向山东平原、茌平、夏津、恩县等地（18），与山东的神拳金钟罩相互融合，并与朱红灯、心诚和尚、徐福、于清水的义和拳相呼应，共同战斗，把直鲁交界一带的义和拳斗争开展得如火如荼。

三、冠、威义和拳起义成因浅析

梨园屯教案之所能够持续二十余年之久，并最终发展为义和拳（团）反帝爱国运动，绝不是偶然的。它与这一地区特殊的社会环境、地理条件、文化结构、教会势力诸因素有很大关系。

第一，该教案有特殊的社会环境和文化背景。这一带人民有自己独特的汉教信仰和习俗。（19）当时威县一带农村中建有庙宇寺观，如三教庙、玉皇庙、关帝庙等。村中各家庭有自己的宗祠，习称家庙，是供奉祭祀祖先的地方。玉皇为这里民间信仰中的最高神，是"天地三界十方真宰"，即鬼神世界真正的皇帝兼辖佛、道两教以及中国民间信仰中所有的神鬼。当时百姓过春节所供奉的神像就是上为玉皇、下为关帝，可见这一带民众对玉皇大帝的尊崇和民间重武尚义风气之盛。然而，外国传教士霸占公中财产，强毁玉皇庙，别有用心地在庙基上盖一座不敬佛老、不供祖先、专拜一个外国洋神的教堂，企图用外来的上帝赶走人们心中至高无上的神祇，这种对广大汉教民众宗教感情的伤害是无以复加的，也是民众所绝不能容忍的。因此，在梨园屯这个小小村镇中，除了反映侵略的冲突和斗争外，还延伸为中外文化心理上的冲突和斗争。梨园屯人民的斗争之所以得到威县一带广大民众的支持，因为他们所争的不仅仅是梨园屯公中的一块宅地，也是广大民众心中的"圣殿"。由此可见，群众中的正义、信仰，往往成为一种精神上的强大凝聚力量。

第二，"飞地"统治的薄弱，使革命力量易于集结与发展。明清时，直隶威县的东南部，是一个大插花的地群，这里有山东冠县、临清、邱县和直隶南宫、曲周、鸡泽两省六县的"飞地"。这些"飞地"不与其县接壤，而远置于他省、他县的版图之内，犹如大海中岛屿，异国中的租界，犬牙交错，片片如花，故又谓之"插花地"。这种区划现象"前后达五百年之久"。

（20）教案发生地梨园屯，"地势远隔，风俗攸殊，盗匪充斥，民教杂处，孤悬境外，隐然独立，一小邑控制既鞭长而莫及治理，亦梗塞而不通"。（21）南宫的东王母村和鸡泽县的鸡泽屯，是在邱县、曲周大"飞地"中套着的两块孤零零的小"飞地"。"飞地"历来是强人、盗匪的渊薮。而赵三多的故乡沙柳寨一带，虽属威县所辖，却夹在插花地群的缝隙之间，实为一块不叫插花地的插花地。清政府对这种特定的地理环境鞭长莫及，社会治安难于管理。为此，民众为保卫身家性命，既有习拳尚武的习惯，又有组织乡团联庄自保的传统。正如史料记载："直东交界各州县，地处边疆，民强好武，平民多习为拳技，保卫家身，守望相助"。（22）清代这一带乡团遍布，拳会林立。梅花拳、八卦拳、太乙拳、红拳、六式拳等拳术极为普遍；秘密会社，宗支复杂，门派众多，由于"飞地"统治薄弱，又具备反抗侵略压迫的革命传统和组织群众同官府进行回旋战斗的有利条件，故而有利于革命力量的集结与发展。

第三，天主教势力活动猖獗，民教矛盾突出。梨园屯的反教会斗争之所以能够坚持较长时间，不仅因山东官府和教会统治势力薄弱，更重要的是有附近威县一带反教会力量的支持。因此，在考察研究何以因梨园屯教案而发展为义和拳运动这一问题时，仅着眼于梨园屯一村的民教矛盾，显然是不全面的，必须看到直鲁交界威县一带早已布满的反教会侵略的干柴。从十九世纪六十年代初，法国天主教耶稣会就开始作为帝国主义的一支进行精神文化侵略的势力，积极在畿辅重地活动着。直隶全境几乎是法国天主教的一统天下，特别是早年建于威县城北二十里的赵庄大教堂，原系法国天主教直隶东南教区总堂的所在地。1861年，总堂虽迁往献县张庄，赵庄仍不失为该教区的一个重要大堂口。长期以来，赵庄和周围的魏村、祁王庄等五六个村子形成一个教会教民的独立王国，力量强大，组织严密并建有教民武装，俨然凌驾于地方官府之上。在威县方圆百里之地，除一般传教点外，仅洋式教堂就有二、三十处。当地一些"莠民"犯法后，为逃避官府逮捕，便入教以教会为保护伞。传教士为强化教会统治基础，利用治外法权，干涉诉讼，纵容教民，致使民教矛盾日益尖锐，终成一触即发之势。

第四，胶州湾事件后教会强硬态度的引发。德国以巨野教案为借口出兵强占胶州湾后，教会势力有恃无恐，更加猖獗，圣言会传教士到处扬言要引德兵来内地解决尚未了结的教案。梨园屯一带也是如此。清官方档案记载："本年（即光绪二十四年）正、二月间，谣言来有洋兵，梅拳遂又麇集，以致远远惊惶，民教震恐。"（23）"来有洋兵"的传言把"传播福音"的神话彻底戳穿，把列强与教士联系在一起，对于一触即发的民教矛盾，无异于火上浇油。

第五，清政府袒教抑民态度及官兵起衅所激。拳民对清政府长期以来，屈服于列强势力，袒教抑民政策积怨很深。官府中兴集"招安"的把戏失败后，拳民料到官府必不肯善罢干休，事实上清政府的确在玩"两面三刀"的手段，这时清政府已令直东两省兵力会剿。临清小芦官兵来沙柳寨拿牛肉又激发了矛盾，赵三多此刻已是忍无可忍。遂于清光绪二十四年九月十一日（10月25日），毅然率义和拳众展开了更有组织，更具规模的反洋教，抗官兵的斗争。

综上所述，梨园屯教案是中国近代史上中国人民反对外国侵略的一个重大事件。从同治十二年梨园屯教案出现到光绪廿四年形成为义和拳运动，历时廿五年，持续时间之长，斗争反复之多，实为历史所罕见。特别是随着社会力量的递嬗和变化，斗争的深入与升级，终于以梨园屯教案为导火索，引发了轰轰烈烈的义和拳（团）运动。从教案史和义和团运动史的不同角度审视它，这一教案都具有高度的典型性，其影响是深远的。一百年前，赵三多、阎书勤等革命先驱以自己的鲜血和生命，在中国人民反帝爱国斗争历史丰碑上雕刻了永资纪念的篇章。

【注释】：

（1）、戴玄之著《义和团研究》第一章、第二章（台湾商务1963年出版）。

（2）、清直隶威县东南部有山东冠县、邱县、临清三县和直隶南宫、曲周、鸡泽三县的插花地，亦称"飞地"。这些"飞地"统称"十八村"，所谓冠县"十八村"实则廿四村，南宫"十八村"实则"十五村"。详见《威县地名志》所附《明清时期略图》。

（3）、《东昌府禀》光绪二十五年十二月十三日（1900年1月13日），载《山东义和团案卷》上册354页，齐鲁书社出版。

（4）、见《义和拳运动起源探索》第42页，《梨园屯教案》。

（5）、梨园屯《民教互立地亩公单》，载《山东教案史料》（齐鲁书社1980年7月第一版）第125页。但据山东大学与威县的联合调查，土地亩数与此记载有较大悬殊。

（6）、《山东巡抚任道熔致总署咨文》附东省教案已结清折，（光绪七年十二月三日），载《山东教案史料》第156页。

（7）、山东巡抚张曜致总署咨文，载《山东教案史料》第126页、127页。

（8）、《总署收山东巡抚张曜文》，光绪十六年四月初四日（1890年5月22日），载《山东教案史料》第128页。

（9）（10）、《教务纪略》（李刚已辑著）卷三，章程。

（11）、《总署致各省督抚咨文》，光绪二十一年六月。

（12）、《法国公使李梅致总署函》光绪十五年十一月八日（1889年11月30日），见《山东教案史料》第124页。

（13）、《总署档》，光绪二十四年十月初四日《总署收山东巡抚张汝梅咨文》、转引自《义和团运动史研究》（路遥、程歗著）、齐鲁书社1988年3月第1版第48页。

（14）、《法国公使李梅致总署照会》，光绪十八年五月十七日（1892年6月11日），载《山东教案史料》第131页。

（15）、《总署收法国公使吕班照会》，光绪二十三年六月二十七日（1897年7月26日）。

（16）、《马副将金叙禀》，光绪二十五年十二月十二日（1900年1月12日）到。《义和拳运动起源探索》（路遥主编）第73页。

（17）、《山东义和团调查资料选编》第329页。

（18）、《筹笔偶存》第59页。

（19）、关于"汉教"信仰，论者在《赵三多及义和拳运动散议》一文中曾概括为："汉教是宋、明以来形成的以信奉玉皇大帝为天地三界最高神，信奉儒、释、道三教尊神为基本特征，并杂奉无生老母、灶君等民俗神的汉族广大民众的普遍信仰。"

（20）、《威县地名志》第7、8页。

（21）、侯光陆纂《冠县志》，民国廿三年版卷一第4页。

（22）、《山东巡抚张汝梅致总署咨文》（光绪廿四年四月廿九日），《教务档》第237页。

（23）、《总署收山东巡抚张汝梅文》，光绪二十四年四月二十九日。

平原义和拳与冠威义和拳

朱红灯领导的平原义和团反抗斗争在义和团运动史上占有不可替代的重要地位。朱红灯作为义和团运动有代表性的领袖之一，历来为史学界所关注。平原义和拳（团）斗争发生于光绪二十五年（1899），它承前启后，不仅使义和拳的大旗再次飘扬于直鲁交界地区，而且以其独特的创造和英勇斗争为义和团运动树立了光辉典范。

清光绪二十五年四月，朱红灯"招众于恩、平二县，立会名义和拳"①是年九月初七（10月11日），朱红灯又在平原岗（杠）子李庄，散贴聚众千余人，"大书特书曰：'天下义和拳兴清灭洋'。"②在"义和拳"的旗帜下，朱红灯平原义和拳（团）民把神拳风习与金钟罩行迹相结合，完成了各反侵略组织在风貌上的溶合过程，形成了一整套为以后的各支义和团所尊奉并采用的神秘主义活动方式。从而奠定了平原义和拳（团）在义和团运动史上的重要地位。

关于朱红灯平原义和拳的组织源流，由于其自身的复杂性，一直是"雾里看花"、"扑朔迷离"。正如当时的平原县令蒋楷在其《平原拳匪纪事》中所说："闻恩县四境盛行义和拳，或云自冠县十八团，或云自东昌曹州，莫详其底细。"这里所说的"冠县十八团"指的是赵三多、阎书勤领导的冠、威义和拳；所谓"东昌"盖指茌平、博平的神拳；"曹州"，系指曹、单大刀会。早在光绪二十四年九月（1898年10月），冠、威义和拳就在山东冠县"十八村"的蒋庄（今属河北威县）以"义和拳"的名义起义，并打出"助清灭洋"这一类旗号。③朱红灯平原义和拳后期所呈现的"掐诀念咒，画符饮吞，排砖排刀"、"不畏火枪洋炮"的行迹，是山东曹、单大刀会的一套。论者以为研究义和拳、神拳、大刀会的源流、溶合、嬗变及斗争是研究朱红灯平原义和拳（团）的关键所在。但近年对朱红灯义和拳斗争的研究，往往囿于事件与人物的琐碎考证，对整个斗争缺乏全面的科学的分析。它与乾嘉义和拳、冠、威义和拳的关系以及这一时期各反抗组织之间的关系，更鲜见有见地的专论。故此不揣浅陋，对上述问题试作探讨。

一、平原义和拳与乾、嘉义和拳

从清代乾隆、嘉庆朝文书档案中关于义和拳的记载看，一般都和"白莲邪教"案相关。

清宫档案中最早出现的"义和拳"记载的是乾隆三十九年九月二十九日"严饬地方官逮捕王伦余党"的上谕，其中指出："惟是此等奸民，俱由白莲邪教而起，又诡名义和拳，扇惑乡愚，扰害不法，实为可恶可恨。"④又据乾隆三十九年十月初四日山东布政使国泰奏称："伏查奴才前据德州访获张典、审系奉行邪教之人，并究出许文明、孔继彦、李翠各犯。李翠曾以临清人李浩然为师，传授白莲教，改名义和拳"。⑤以上两处史料中，均把义和拳与白莲教扯在一起。档案记载：南宫简七（管七）、山东王伦都是宁晋高口李成章的徒弟。⑥李成章是收元教（八卦教）首。⑦王伦的清水教亦即收元教。所以乾隆朝的义和拳系离卦教为代表的八卦教无疑。

早在乾隆三十九年，王伦清水教起义中已有了"义和拳"名目并引起当局注意。李翠就是"义和拳"的重要人物，恩县是李翠倡立义和拳的故乡，起义失败，李翠旋遭杀害，但其拳教势力未遭重创。到了光绪二十五年初，民教矛盾的激荡下，义和拳再次出现于恩、平二县，决不是偶然的。道光、咸丰、同治三朝，义和拳虽未显于世，但"百足之虫，死而不僵，"在民族矛盾不断深化，民教矛盾日益尖锐的情况下，义和拳"死灰复燃"是势所必然的。

朱红灯的义和拳与李翠的义和拳均属八卦教之南方离卦，按干支五形五色之说，离卦属"南方丙丁火"，与红色相应。文献和调查资料均说朱红灯出战时头戴大红风帽，身着红裤，队伍执红旗、枪刀饰以红布，这都是托南方火色属于离卦的特征。在故城被捕之大贵和尚，自认系朱红灯师弟，供明是离卦教。⑧以上资料充分证明朱红灯属于八卦教之离卦教系统。

乾隆朝以降，义和拳与八卦教相表里，义和拳作为八卦教的外围组织，或称武场，成为八卦教（离卦教为代表）的代名词，并反复出现于清朝官方档案中。早期义和拳包括八卦教武卦诸多拳种，各卦有一对应拳种，各有师承又相互穿插。1899年平原义和拳斗争前后，最有代表性的反抗斗争组织也都与八卦教有着千丝万缕的联系。朱红灯的义和拳占离卦，信奉无生老母（无影无像）和玉帝等神。朱后"拜师降神"习练神拳，神拳是一种习武风习，不是某种拳术的专称。朱红灯的拳派应为离卦教武场，即以六趟拳为代表的"六合拳"。⑨朱红灯领导的义和拳因率先采用了"降神附体"的一套练武风习，故以神拳的名号为最普遍、最著称。在朱红灯神拳的影响下，深入到山东的冠、威义和拳的相当一部分也习练神拳，如十八魁之一的阎书勤。⑩著名义和拳首领王玉振等，王玉振甚至成为山东一带传习神拳的著名首领。"大刀会往往也称神拳。越到后来，神拳的称呼越普遍"。（11）王如绘先生述及这一时期斗争时曾说："这是一场规模很大的斗争旋风，也是刀、拳各会的一次大发展、大交溶、大汇聚。"（12）朱红灯的平原义和拳不仅采用了神拳"降神附体"的风习，同时也在某种程度上吸取了大刀会的"吃符念咒"、

"刀枪不过"的一套。神拳形成了自己的特色信仰，供奉玉皇大帝与真武大帝，还奉周公（祖）、桃花女（仙）。（13）朱红灯杠子李庄之战，打出了"天下义和拳兴清灭洋"的旗号。此后，在义和拳的旗帜下，集结以神拳、大刀会、冠、威义和拳等反抗斗争组织。他们有自己统一的名号"义和拳（团）"，但拳门内部和群众仍分别称其为神拳、大刀会和梅花拳等。

蒋楷在《平原拳匪纪事》一书中记载，朱红灯其号谓之"天龙"。（14）"天龙"当与"天龙八部"有关，天龙八部又叫"龙神八部"、"八部众"，是佛教对付异教徒的护法神。（15）天龙八部以"天众"、"龙众"最为重要。朱红灯号谓"天龙"，系暗寓"统领八卦"，指挥佛国百万大军（义和团）诛灭异教（洋教）之意。

总之，朱红灯的义和拳属于八卦教之离卦教，其武场为"六趟拳"为代表的"六合拳"。其与乾、嘉义和拳一脉相承。朱红灯的义和拳以"降神附体"的风习为主要特色，在1899年刀、拳各会的大溶合中起到了主导作用，促进了这一时期"坎、兑、离、艮（震）"诸门的合流。

二、平原义和拳与冠、威义和拳

光绪二十四年八月十八日（1898年10月3日），赵三多、阎书勤领导的冠、威义和拳在山东冠县"十八村"的蒋庄（今属河北威县）宣布起义，开义和拳（团）运动之先河。资料记载："义和拳起于山东冠县十八村，原名梅花拳。"（16）"冠县十八村"即指清代山东冠县在直隶威县境内的"飞地"，即今威县梨园屯一带；"梅花拳"指冠、威义和拳中赵三多的拳众。自清同治十二年始，梨园屯民教之间因玉皇庙地起争端，开始了长达二十多年的"庙堂之争"。梨园屯以王世昌、刘长安为首的士绅领导的斗争屡遭失败，代之以起的是以阎书勤为首"十八魁"的武力抗争。赵三多收"十八魁"为徒并率梅花拳众介入梨园屯教案，使梨园屯教案由原所经历的"士绅呈控"、"武力护庙"进入到武装斗争的新阶段。光绪二十三年三、四月间，赵三多改梅花拳为义和拳。（17）并于三月二十六日（4月27日）率义和拳攻打梨园屯教堂。（18）沉重打击了教会势力。10月25日，赵三多、阎书勤的冠、威义和拳采取了一系列的大规模军事行动。11月2日，夜焚红桃园，3日焚第三口教堂和教民房屋。11月4日，义和拳被清军打散，姚文起被捕，赵三多转向直隶中部传播火种；阎书勤、王玉振等率义和拳"自冠县及于东昌各属"。（19）东昌府的禀文说："查卑属拳教不和，以冠县梨园屯一案为最。此案既结，而茌平之神拳遂起"。（20）赵三多的冠、威义和拳起义较之平原起义早一年，茌平、平原与"冠县十八村"同属东昌府，"相隔未远"，冠、威义和拳一部"蔓延于曹、兖、临清各属"。（21）1898年11月至1899年春，他们在东昌、曹州、济宁、兖州、沂州、济南等处，"潜滋暗长"。（22）"潜相授受"，当时茌平、高唐一带拳众公开提出："先学梅花拳，后学金钟罩。"（23）这说明，冠、威义和拳不仅传到这里并深受欢迎，还被作为各拳场首选的拳术习练。

关于朱红灯、心诚习练何种拳术，官方档案和民间调查都没有明确说法，只是笼统地称之为义和拳或神拳。如前所述，朱红灯原习练的应是离卦门武拳，即以六趟拳为代表的"六合拳"。关于心诚和尚所习练的拳种，据《李桂芬致姚松元函》称，"该僧幼习少林拳技，刀法花枪，无不精熟，每与拳民赛武，十多人不能近前。"（24）劳乃宣的继任支碧湖在谈到心诚时写道："朱之友杨和尚，亦善拳法，宗其教，谓能以肉躯抵枪炮，被诱者咸以为神。"（25）由此可知，心诚原习的是少林外家拳并兼善少林硬气功。然据记载，"朱红灯、心诚亦各拜师降神，设厂授徒"。（26）平原义和拳首领李长水原习红拳，"有真功夫"，也习练神拳，"每天晚上集合人练功夫，把黄裱纸烧成

91

灰，喝了以后求神附体"。（27）由此看来，神拳作为一种练武风习和吸引群众的手段被大多数拳派所接受。离卦教历史上不乏神拳、金钟罩行迹的记载，但都限于一时一地，在1899年特定的历史时期，朱红灯以神拳名义号召群众，"设厂授徒"，是年春后的三个月内，"茌平县治八百六十余庄，习拳者多至八百余处"。

（28）值得一提的是，是年四月初八（5月17日），赵三多在正定大佛寺（隆兴寺）召开各路义和拳首领会议，这次会议决定联合信奉白莲教的红门、铁布衫等门派一起斗争，并改名"神助义和拳"，（29）广发《神助拳、义和团》揭帖。这一揭帖"是义和团运动的纲领性文件，是许多义和团揭帖中最重要的一件"。（30）阎书勤参加了这一会议并把这一揭帖传到直鲁交界一带。正定大佛寺会议改义和拳为"神助义和拳"的决定和《神助拳义和团》揭帖的发布与传播，标志着冠、威义和拳等义和团组织对金钟罩和神拳的认同与联合。这一既定方针对于直鲁交界广大地区义和拳（团）的"神化"及义和团运动的发展起到了不可低估的作用。

冠、威义和拳的部分首领和骨干率众长期活动于山东腹地及直鲁交界的平原、茌平、夏津、长清等县。资料记载："作俑于冠县之十八魁，即屡次拆毁梨园屯天主教堂者，数年来愈传愈久，几遍鲁齐，均以平洋灭教为事。"（31）冠、威义和拳中相当一部分原属红拳，如"十八魁"。东昌、曹州大刀会中练习红拳者颇多，他们同属少林门，其金钟罩术本是少林门功法。冠、威义和拳不仅接受练习这一套，还把它在直鲁交界一带传播开来。官方档案记载，该匪"秋后又自东南绕向东北，先扰平原、恩县、茌平、长清诸属，入秋又环绕泰安、济南各属。以达于东昌老巢"。（32）他们共同把金钟罩术与神拳风习相结合，在平原、恩县、茌平一带传播。光绪二十五年八月间，朱红灯的义和

92

拳已具备了"吃符念咒、请神附体、可避枪炮"的形迹，完成了刀、拳各会在风貌上的溶合过程。（33）义和拳的一套神秘主义仪式在平原一带数以千计的拳场普遍采用并推而广之，迅速成为山东、直隶、京津各义和团组织普遍采用的仪式。被"神化"了的义和团深受人民的欢迎，"一人倡之，众人和之，举国若狂"。（34）

冠、威义和拳（团）最重要的首领阎书勤、王玉振和"十八魁"等素与山东义和团"声气相通"、"交通尤多"。阎书勤与王玉振曾于1900年邀请夏津、博平义和团来威县梨园屯准备重新起事。（35）王玉振（威县人）是山东茌平、夏津一带的著名义和团首领，以传习神拳著称。他与徐福和尚联合，曾在山东长清、茌平、夏津、清平、博平、武城一带开展反洋教活动。徐福素与朱红灯、心诚交好，为清政府之"隐患"。（36）他曾联合于清水攻打并烧毁茌平张庄教堂，于清水系朱红灯旧党，平原森罗殿战斗，于清水是朱红灯的积极支持参与者。于清水与朱红灯、心诚和尚一起被清政府杀害。王玉振、徐福不久在武城杨屯与清军开仗，王玉振牺牲，徐福幸免，后在攻打御桥韩庄教堂里阵亡。阎书勤的胞弟，"十八魁"之一的阎书俭（官方记为阎书束）原习红拳，曾投赵三多习梅花拳，到夏津后学"神拳"，并与夏津神拳首领何洛有一起开展反洋教斗争。1900年11月23日，在夏津张堤村遭官军袭击，何洛有阵亡，阎书俭与神拳首领任王氏一起被捕，旋遭杀害。（37）

冠、威义和拳与平原义和拳虽不属于同一系统，但在特定的历史条件下，两个组织共同集结在"义和拳"的旗帜下，把神拳风习和金钟罩行迹结合在一起，在直鲁交界一带共同战斗，把义和团斗争推向一个新的阶段。

三、义和拳与各反抗斗争组织间的关系

朱红灯领导的义和拳在官方文档、教会报刊及近年的调查资料中，同时出现过许多组织名称，如大刀会、义和拳、红拳会、神拳、梅花拳、金钟罩等。这些组织所呈现的气功、武风和巫风交错在一起，折射出光怪陆离的光环，研究各反抗组织的特点、组织源流和相互关系是探索何以从义和拳发展成为真正意义上的义和团的关键所在，下面就此作一粗线条勾勒。

就平原义和团斗争时期朱红灯的义和拳而论，狭义的义和拳指朱红灯的离卦教武场，即以"六趟拳"为代表的"六合拳"。

早在乾隆三十九年（1774年），王伦清水教在山东临清起义，乾隆皇帝指出其与"白莲邪教"有关，并"诡名义和拳"。（38）"阳以教习拳棒为名，阴行其谋为不轨之实"。（39）乾隆四十八年十一月的上谕中，还提到南宫简七（管七）等，"与山东王伦都是高口地方之李姓徒弟。"（40）论者曾深入到南宫和宁晋二县，对菅七和高口李成章的拳教进行了调查。高口的教门即"无像无经文的文武离卦教"，而并非兑卦系统。其武场即六合拳，包括：六趟拳（六步趟子锤）、大、小红拳、蔡拳、七十二把擒拿，三十二把飞拿等多种拳术，其中六趟拳是离卦教最有代表性的拳种。（41）另据史料记载，"（嘉庆十九年，德州）缉获该州人吕福、董二、刘英三名。讯据吕福供称，伊于嘉庆十七年间，拜从已正法之郭为贞为师，烧香供茶，教伊持诵咒语，称为离卦门，并传授义和拳。"（42）郭为贞是天理教起义中德州宋跃隆集团的主要骨干之一，他自幼向袁七学习六趟拳。（43）我们再看一下乾隆年间杨四海的义和拳邪教案。（44）杨四海是当时山东冠县离卦教重要人物，杨与直隶大名翟贯一素有来往，翟贯一是离卦教副头目，离卦教主郜二的徒弟，因牵连大名道台熊恩绂被杀案被逮杀。（45）论者在1900年，曾赴山东冠县、河北大名调查义和拳教，访问了杨四海、翟贯一的后代，他们现在习练的仍是祖上传下来的"六趟拳"。（46）至此，我们可以确认，六趟拳为代表的六合拳即离卦教的武场，乾嘉年间它被称之为义和拳。

朱红灯的义和拳从广义的角度，应包括参与朱红灯义和拳斗争的各反抗斗争组织：即前述之六合拳、梅花拳、大刀会、金钟罩、红拳会、神拳等拳派组织。梅花拳是一种历史久远，在直鲁交界一带有广泛影响的拳种。它从乾、嘉至义和团运动时期，与"义和拳"若即若离、形影难分。相传梅花拳历史远在八卦教其余各武卦之前。《梅花拳秘谱》记载，其拳派始祖名"东方离"，据考此即梅花拳在先天八卦所占方位与卦相之名。现梅花拳门中多自称为"占西方兑卦邱祖龙门派"，系按后天八卦而来。梅花拳归宗龙门派后，从八卦教中分离出来，自立门户，成为独立于八卦教之外的文武教门。

梅花拳弟子与离卦六趟拳及红拳弟子有共同的汉教信仰。朱红灯的平原义和拳信奉玉皇大帝，"其说，则谓明年为劫年，玉皇大帝命诸神下降"。（47）冠、威义和拳各拳派也信奉玉皇大帝。玉皇是山东直隶离卦六合拳弟子、梅花拳、红拳、大刀会众共同的汉教信仰中的最高神，（48）是"天地三界十方真宰"，辖管天地三界佛道儒三教诸神及中国民间信仰中所有的鬼神。

金冲及先生在其《义和拳和白莲教的关系》一文中论及茌平一带的小孩唱着这样一首歌谣："先学梅花拳，后学金钟罩，杀了洋鬼子，再灭天主教。"（49）金先生认为，"茌平、平原这一带义和拳的来历，一是梅花拳，二是大刀会。"（50）天主教喉舌报《汇报》指出："查该会之名有五：曰梅花拳、曰红灯照、曰金钟罩、而总以大刀会之名统之。"（51）以上资料表明，梅花拳不仅在平原一带广泛流行，而且是当时该地区最具影响的拳会之一。

红拳是历史久远流行较广的拳种之一，华北、东北、西北、四川等地民间多有此拳，直隶、山东一带的多为大红拳与小红拳。据一位资深的拳师谈，"红拳历史远在八卦教创立之前，为

95

'上四门'之一"。（52）红拳后作为八卦教的艮卦，虽在清初遭重创，其拳派在民间势力仍很大，因失去卦主，该卦曾一时一地归属离卦，如嘉庆朝鲁西南城武县张景文的"红砖会"就是典型一例。（53）但红拳门中不少拳师都知道其门占八卦东北卦头。而大部分地区的红拳只作为一种拳术流传下来，失去"文武教门"的特点。因为红拳在直、鲁交界地区有很深的社会基础，历史上与八卦教有一定联系，所以冠、威义和拳中阎书勤、王玉振的红拳派一支，在山东境内能很快与曹、单大刀会、朱红灯的义和拳（神拳）相溶合，在风貌上趋于一致。

神拳是武术与巫风的结合物，在1899年平原一带风靡一时。当时活动于这一带的梅花拳、红拳、大刀会等民间武术会社都把神拳"降神附体"的风习加以吸收运用。调查资料证实，仅在平后张一村、习练神拳的武术名目就有"昆阳拳、青龙拳、颜合拳，大红拳、小红拳、王虎索阳拳"等六种。（54）

神拳不是一种拳派，而是义和团时期盛行的一种习武风习。当引入这一风习后，任何拳派都可"降神附体"，但舞起拳来，习拳者仍旧舞各自门派的拳，只不过是处在一种颠迷状态下，自行舞弄。如武松舞醉拳，不可能舞出西洋的拳击招数来。在武风极盛和"社火"风行的直鲁交界一带，各村庙会之时、农闲季节习武"亮拳"司空见惯；"社火"武戏耳濡目染，所以村民们，特别是年轻人在拳场"神灵附体"之后，均可舞弄一番，潜意识中拳场武师和舞台英雄人物的一招一式，在颠迷亢奋状态下，往往模仿发挥的淋漓尽致。

金钟罩也不是一种拳派的名称，而是少林外家拳派的一种功法，即少林硬气功。早在嘉庆初年，冠县甘集（今属威县）张老焦就曾传授金钟罩术。（55）张老焦本为道士，但据史料记载，张老焦时常往来于少林寺，（56）据其自供，嘉庆五年（1780年）跟从固献村王贤均习离卦教。（57）由此看出，早在乾嘉年间，金钟罩术就被多种教门、拳派所采用。

大刀会在山东活动较早。光绪二十二年二月十五日（1896年3月28日），山东单县大刀会首领刘士端在城关火神庙"唱戏四天，以聚会友"。（58）1896年9月11日登州《山东时报》载大刀会活动情形云："捏言掐诀念咒，画符饮吞，排砖排刀，浑身上下无所不排，一夜即成，不畏捧击刀砍，不畏火枪洋炮。以其浑身功夫都用到刀枪不入之故也，所以又有金钟罩、铁布衫、无影鞭之名号。"大刀会在1899年后吸收神拳风习，仪式趋于简化，练气吐纳、排砖排刀的一套在部分大刀会组织中被神拳的"降神附体"的巫风所代替。大刀会还吸收了梅花拳、红拳的技击与器械套路，增强了自身的战斗力。1899年9月29日《恩县会禀》载："讵于八月初间，该匪传习邪术，妄称吃符念咒，请神附体，可避枪炮，扇惑勾结，在平原一带寻衅滋事，到处蔓延，随声附和，日见其多。"（59）这时，大刀会的金钟罩形迹已与神拳风习相结合，完成了反抗斗争组织在风貌上的溶合。综上所述，朱红灯领导的平原义和拳与乾、嘉义和拳有着组织上的源流关系。乾、嘉义和拳即以离卦教为代表的八卦教（习称白莲教）的外围组织（武场）。朱红灯属于八卦教离卦系统，朱拳应为离卦武场，即以六趟拳为代表的六合拳。冠、威义和拳（兑、艮二门）于1898年冠县蒋庄起义失败后，流入山东，一度形成"梅花拳法连村演"的局面（60）。他们与大刀会（坎门）、神拳（离、坎二门）共同战斗、相互融合，在1899年特定的历史条件下，形成了"坎、离、兑、艮、"诸门的合流，各反抗斗争组织集结在义和拳（团）的旗帜下，把神拳风习与金钟罩形迹相结合，创造了一整套为各支义和团所尊奉的神秘主义活动方式。朱红灯的平原义和拳和赵三多、阎书勤的冠威义和拳以其独特的创造和英勇斗争为义和团运动谱写了一曲气壮山河的乐章。

【注释】：

（1）、（2）《汇报》第146号，光绪二十五年十二月十七日。

（3）、郭栋臣《义和团之缘起》，载（河北文史集粹）社会卷，第3页。

（4）、（38）、乾隆三十九年十月二十日署理山西巡抚印务、湖南巡抚觉罗巴延奏，军机处录副奏折。见《义和团档案史料》续编第1844页。

（5）、乾隆三十九年十月初四日，山东布政使国泰奏。《义和团档案史料》续编下册第1839页。

（6）、乾隆四十八年十一月十五日上谕，《义和团档案史料》续编下册第1868页。

（7）、见庄吉发《清代乾隆年间收元教及其支派》。

（8）、林学瑊《直东剿匪电存》，见《义和拳运动史料丛编》第2辑，中华书局1964年出版，第70页。《拳案杂存·致胡绍钱书》。

（9）、（41）、《宁晋高口调查材料》。1990年调查，资料提供者，六合拳师颜梦州。

（10）、《山东义和拳案卷》、下册，第811页。

（11）、（12）、王如绘论文《大刀会与义和团运动》、载"义和团运动与近代中国社会国际学术讨论会"论文集第173页、175页。

（13）、《神拳调查资料》、1991年调查，提供者：威县七级堡魏祥玉。

（14）、蒋楷《平原拳匪纪事》，载《义和团》第一册，第354页。

（15）、马书田《超凡世界》第63、64页，"天龙八部——佛山百万大军"。

（16）、《李鉴帅庇纵拳匪记》：《西巡大事本末记》卷二。

（17）、（29）、《河北文史集粹》社会卷，郭栋臣撰《义和团之缘起》及"补充资料"第三节，第2页、第8页。

（18）、《总署收法国公使吕班照会》，光绪二十三年六月二十七日（1897年7月26日）。

（19）、柴萼：《庚辛纪事》。

（20）、光绪二十六年六月十六日《东昌府禀》，载《山东义和团案卷》上册第366页。

（21）、（32）、《筹笔偶存》第59页。

（22）、原载《山东辑匪记要》一，见李文海等著《义和团运动史事要录》第55页。

（23）、见《义和团研究会通讯》总第15期，邵金铭文《义和团在高唐》。

（24）、《山东近代史资料》第3册。

（25）、《义和团》第4册，第443页。

（26）、《济南府禀》，光绪二十五年十一月初一日到，《山东义和团案卷》上册第19页。

（27）、《平原文史资料》第11集，第124页。

（28）、李杕：《拳祸记》下，第346页。

（30）、张守常文《说"神助拳、义和团"揭帖》，《历史研究》1992年第3期，第124页。

（31）、《汇报》第153号，《义和团运动时期报刊资料选编》第7页。

（33）、（59）、《恩县禀》，《山东义和团案卷》上册，第4页，"朱红灯卷"。

（34）、《庚子北京事变纪略》，载《义和团》第二册第434页。

（35）、《义和团大辞典》第391页，"阎书勤"条。

（36）、（54）、《山东义和团调查资料选编》第221页、第91页。

（37）、《山东义和团案卷》下册，第811页。

（39）、《录福档》卷1905，第1号。

（40）、《阿桂等奏为遵旨讯问呈控义和拳之魏玉凯录取供词事片》（上谕档），乾隆四十八年十一月十五日，见《义和团档案史料》续编下册，1869页。

（42）、《陈予奏报拿获习义和拳及梅花拳之吕福董文明等片》（军机处录副奏折），载《义和团档案史料》续编下册，第1927页。

（43）、《录副档》卷2537，第5号。转引自程　文《乾嘉义和拳浅探》，见《义和团运动史讨论文集》第56页，齐鲁书社1982年第一版。

（44）、见《周元理奏复派委办理张九锡呈控义和拳一案情形折》，乾隆四十三年十一月二十九日，《义和团档案史料》续编下册，第1853页、第1854页。

（45）、《直隶总督刘峨奏为遵旨将翟治元解京并严缉段文经等事折》，乾隆五十一年十月二十六日，《义和团档案史料》续编第1878页。

（46）、《山东冠县垛儿庄调查材料》、《大名县翟龙化村调查材料》，1990年论者调查，赵三多研究会藏。

（47）、蒋楷《平原拳匪纪事》，《义和团》第一册第354页。上海人民出版社，1950年12月第一版。

（48）、《赵三多研究会通讯》总第3期23页，笔者文《试论拳变时期的义和拳斗争》。

（49）、（50）、金冲及文《义和拳和白莲教的关系》，载《义和团运动史讨论文集》，齐鲁书社，1982年第一版。

（51）、光绪二十六年正月二十二日《汇报》第153号。

（52）、《梅花拳、红拳调查材料》，1999年调查，提供者：梅花拳师张文周、赵玉光。

（53）、《山东巡抚同兴奏复惩办曹州一带义和拳红砖会等情形折》、嘉庆十八年十一月初九日。《义和团档案史料》续编下册第1902页。

（55）、嘉庆二十年八月二十二日，陕西巡抚朱勋奏："那张洛焦学的金钟罩法，他说他学会后，曾试验用刀砍左肩甲、左后胁等处，只有白痕，果不受伤。"（录副档）。

（56）、见嘉庆二十年五月《那文毅公奏议》。

（57）、嘉庆二十年十二月《那文毅公奏议》。

（58）、《山东近代史资料选集》第52页。

（60）、龙顾山人《庚子诗鉴》，载《义和团史料》上册，第29页。

义和团"万宝符衣"考

李金鹏

　　近年，河北威县文物部门在义和团文物普查中，从该县大宁村史姓拳民后代手中征集到一件重要的义和拳（团）文物——"万宝符衣"。据收藏者谈，这是赵三多、阎书勤领导的冠、威义和拳民当年佩带的八卦兜肚。

　　"万宝符衣"为一缺角棱形布质彩色刺绣饰品，缺角处（上端）以双层黑布为边，两层之间可穿绳带，黑边宽约3公分，上绣"金顶山"三字。兜肚正中绣一完整八卦图形。中间为太极图，俗称阴阳鱼，阳鱼头为兰色，身为红色；阴鱼头为黑色，身为浅红色。太极图外圈是双条线框。八卦图为"后天八卦"之象。从左上（西北）顺时针方向卦象按八个方位排列为：乾、坎、艮、震、巽、离、坤、兑。卦符在内圈，卦名在外圈。乾、艮、巽、坤四卦的卦符为兰色，卦名为红色；坎震、离、兑四卦的卦符为红色，卦名为兰色。在震、兑二卦上下各有两字，为"万宝符衣"四字。

　　光绪二十四年（1898年）秋，赵三多、阎书勤领导的冠、威义和拳在山东冠县"十八村"的蒋庄（今属河北威县）宣布起义，开义和拳（团）运动之先河。冠、威义和拳的骨干力量是赵三多的梅花拳和阎书勤的红拳两支。

　　自清同治十二年始，梨园屯民教之间便开始了拉锯式的"庙堂之争"。1892年，以士绅王世昌为首的"六大冤"呈控失败退出反教会斗争之后，（1）阎书勤为首的"十八魁"挺身而出，

102

（2）成为梨园屯反教会斗争的中坚。随着教案事态的发展，十八魁清楚地认识到仅仅靠梨园屯村"汉教"村民的力量是无法与教会势力抗衡的，所以他们投到直隶威县沙柳寨梅花拳师赵三多门下，联合梅花拳众共同斗争。赵三多收"十八魁"为徒并率梅花拳众投入到轰轰烈烈的反教会斗争中，使梨园屯教案由原经历的"士绅呈控"、"武力护庙"进入到武装斗争的新阶段。光绪二十三年三、四月间，赵三多改梅花拳为义和拳，（3）并于是年三月二十六日（4月27日）率义和拳攻打梨园屯教堂，（4）沉重打击了教会势力。10月25日，赵三多、阎书勤的冠、威义和拳首义并采取了一系列的大规模军事行动。11月2日，夜焚红桃园，3日焚第三口教堂和教民房屋。11月4日，义和拳被清军打散，姚文起被捕，赵三多转向直隶中部传播火种；阎书勤、王玉振等率义和拳"自冠县及于东昌各属"。（5）冠、威义和拳中相当一部分原属红拳门，山东东昌、曹州大刀会中练习红拳者颇多，其素习之"金钟罩"术本为少林门功法。他们同属少林一门，无论是从感情上还是从拳理上都没有捍格之处。所以在1898年至1899这一特定的历史时期，冠、威义和拳、大刀会和朱红灯的神拳，共同集结在义和拳的旗帜下，共同战斗，相互溶合，把神拳风习与金钟罩行迹相结合，在直、东交界一带，把义和拳斗争推向一个新的阶段。据档案记载，光绪二十五年八月间，朱红灯的义和拳已具备了"吃符念咒、请神附体、可避枪炮"的形迹，完成了刀、拳各会在风貌上的溶合过程。（6）义和拳的一套神秘主义仪式在直、东交界一带数以千计的拳场普遍采用并推而广之，迅速成为山东、直隶、京、津各支义和团组织普遍采用的仪式。"万宝符衣"就是这一时期的产物，是义和拳旗帜下刀、拳各会的创造。

在义和团运动中，义和团兜肚在官方档案中屡见记载，足以证明此物在当时采用的普遍性。以镇压义和团著名的清先锋后路左营张勋在禀文中多处提到缴获义和团"护心红兜"、"护身符红兜"。（7）"十八魁"之一的阎书俭（阎书勤之胞弟）1900年11月23日在山东夏津县张堤村被官军拿获，在其身上搜出兜肚、朱符。（8）据《万国公报》报导，"义和拳易之，更其名曰义和团，练者益众。……习练已成者为上等，胸系八卦兜肚"。（9）在朱红灯平原义和拳斗争时期，拳民佩带兜肚的记载更是屡见不鲜。在杠子李庄与官兵的战斗中，"县兵放了一阵枪，前李庄义和拳才出庄，先上来两个十七、八的穿红兜肚的小孩，冲上来砍了两个扛旗的官兵。义和拳大队一上，官兵就跑了"。（10）义和拳民身系八卦兜肚，手持原始的兵器，义无反顾，一往无前，自信"法凭正气"，坚信"杀了洋鬼子，灭了天主教"，"杀了洋鬼子，再与大清闹"是正义的，是会得到神灵护佑的。据一位资深的梅花拳师谈，万宝符衣为夹层，中间有一道符，即"辟兵符"。（11）义和拳开始用"护身符"时，方法有两种，一是烧成纸灰，用水喝下，一是"符护在心上，揣在兜肚里"，（12）后来把辟兵符缝在兜肚夹层里，把八卦符绣在兜肚上。兜肚颜色不一，卦象也不一样。一种是绣某一卦符，"在哪卦绣哪卦"；一种是绣整个八卦图。朱红灯神拳一支的兜肚是红色的，朱红灯占离卦，按干支五形五色之说，离卦属"南方丙丁火"，与红色相应。文献和调查资料均说朱红灯出战时头戴大红风帽，身着红裤，队伍执红旗；枪刀饰以红布，这都是托南方火色属于离卦的特征。（13）档案和调查资料都证明，他的队伍所戴兜肚也为红色。冠、威义和团兜肚为白色，八卦图在一白布上绣成，梅花拳自称"西方兑卦邱祖龙门派"，（14）兑卦应西方白色。据调查，赵三多的一支始终未戴此兜肚，阎书勤一支，特别是长期活动于山东的义和拳众都佩带此物。在山东称他们为"义和拳"，梅花拳中后称其为"大刀会"。阎书勤的义和拳众，拜赵三多为师加入梅花拳，所以采用白色（应兑卦），以别于大刀会"坎卦"。

"护身符"在中国源远流长，很久前便用于兵事中。在道、佛二教及秘密社会的反抗巫术中，护身符有多种，"辟兵符"是其中重要的一种。《抱朴子》卷十五《杂应》云："吾闻吴文皇帝，曾从介先生受要道，云但知书北斗字，及日月字，但不畏白刃。帝以试左右教十人，常为先登锋陷阵，皆终身不伤也。"由此看来，辟兵符在先唐时代在军事行动中就占有一定的地盘。直东交界一带民间教门中，传有《万法归宗》一书，传为李淳风所著，有辟兵符一篆。此书谓："此符朱书，白素着裆前，入军中所能辟刀兵矢石也。"宋明以降，在全真道的影响下，"三教合一"思潮广行于世，道士、和尚教兼习符咒，符咒在民间教门中更是常见的把戏。在义和团运动中，大量的道士、和尚和会道门领袖参与其中，更助长了义和拳（团）队伍中封建迷信和神秘色彩的加重。早在赵三多起义的前期，就有游方道士韩三瞎子频繁与赵三多联系，临清道士魏合意被"十八魁"请到梨园屯玉皇庙当主持，后被官兵拿获。在朱红灯的队伍中，其重要首领是心诚和尚（即本明和尚），劳乃宣的继任支碧湖在谈到心诚和尚时说："朱之友杨和尚，亦善拳法，守其教，谓能以肉躯抵枪炮，被诱者咸以为神。"（15）大刀会是山东、直隶交界一带义和拳（团）斗争中的一支重要力量，喝符念咒、排刀、排砖是其主要特色，其符法有多种，"老本"、"护身"、"分子"是其重要符篆。符用朱砂画在黄表纸上，如战时口吞护身符，以避枪弹伤身。口碑中有"老本是无量符，秘密不可以告人"的说法。

（16）大刀会供真武神，神拳供玉皇和真武。民间传说，真武大帝当年在武当山修炼时，饥肠鸣叫，遂取出宝剑，剖腹将肠胃挖出扔入水中，后化为龟、蛇作怪，真武得道后，收为龟、蛇二将。万宝符衣上端"金顶山"三字系指真武大帝当年修炼之处，因武当山有金顶玉皇观，故名。从神拳、大刀会的咒语中，在梅

花拳的香理上都可窥见真武的"身影"。（17）

冠、威义和拳于1898年11月至1899年春，在东昌、曹州、济宁、兖州、沂州、济南等处，"潜滋暗长"，（18）"潜相授受"。当时在茌平高唐一带拳众公开提出，"先学梅花拳，后学金钟罩，杀了洋鬼子，灭了天主教"。（19）这说明冠、威义和拳不仅传到这里，深受欢迎，并成为这一带拳场的首选拳种。冠、威义和拳与大刀会和神拳溶合后，大刀会学习了梅花拳的击技和器械，增强了战斗力；大刀会与神拳溶合后，简化了其自身"夜半受业，练气吐纳，排刀排砖"的繁琐仪式，磕几个头，走走场子，把眼一闭，神一附体，就可武艺上身。这一套在当时确起到吸引群众、壮大力量的作用。"万宝符衣"的出现，使其形式更趋简化。战前拳首将"符衣""上法"后，挂于某处，用火枪击之，"果不受伤"，其实用的枪支只装火药不装枪砂。由于内中缝进了"护身符"，拳民益信其"刀枪不过"，并有"分子"（避枪弹）的功能。拳民身佩符衣，手持大刀、长矛，凭着一身胆气，与手持洋枪的侵略者和清朝官兵展开一场场殊死的搏斗。据档案记载，冠县十八村曹大师兄为坎字团，山东临邑县义和团头领庞维曾从之学习，庞维是临邑县最有影响的义和团首领之一，"伊与曹姓等在天津城外与洋兵开仗"。（20）由此看出，冠、威义和拳不仅在山东境内传习坎字拳会，而且以"老团"的身份，参加了在天津与联军的战斗。

万宝符衣是义和拳（兑、离、艮卦）与大刀会（坎卦）溶合后所创造并佩带的饰物。它在威县民间的发现，充分印证了一百年前，直隶、山东义和团那一段鲜血泪泪、发人深省的悲壮历史。

【注释】：

（1）、指该村六位有功名、有身份的领头人，人称"六先生"，他们是：王世昌（文生）、刘长安（文生）、左建勋（监生）、高东山（文生）、阎德盛（武生）、姜老亮（监生）。

(2)、"十八魁"是梨园屯十八位侠义之士，他们大都是贫苦农民。

(3)、《河北文史集粹》社会卷，郭栋臣《义和团之缘起》及补充资料第三节，第2页。

(4)、《总署收法国公使吕班照会》，光绪二十三年六月二十七日（1897年7月26日）。

(5)、柴萼：《庚辛纪事》。

(6)、《恩县禀》，《山东义和团案卷》上册，第4页。

(7)、《山东义和团案卷》上册第37页、43页。

(8)、《山东义和团案卷》下册，第811页。

(9)、《万国公报》卷144，光绪二十六年十二月（1901年1月），见《义和团运动时期报刊资料选编》。

(10)、《平原文史资料》第十一辑，第53页。

(11)、《威县梅花拳、红拳调查资料》（未刊稿），论者收藏。

(12)、《平原文史资料》第十一辑，第42页。

(13)、蒋楷《平原拳匪纪事》。

(14)、《梅花拳资料》，广宗县志办刘保华提供。

(15)、《义和团》第4册，第443页。

(16)、《山东义和团调查资料选编》第15页。

(17)、《三教根源妙法经》载："玄天祖在世上若功甚大，玉帝爷赐宝剑斩妖除精。"玄天祖指真武大帝，供于梅花拳第五炉。

(18)、《山东辑匪纪要》一，见李文海等著《义和团运动史事要录》第55页。

(19)、《义和团研究会通讯》总第15期，邵金铭文《义和团在高唐》。

107

⑳、《临邑县会禀》，光绪二十六年十月十五日到（1900年12月6日），《山东义和团案卷》上册，第309页。

赵 三 多 年 谱

黄成俊　潘明辉

1841年5月26日（清道光二十一年四月初六）出生于直隶（今河北）威县沙柳寨一个贫苦农民家庭。家有薄地三亩，草房一间半。父亲赵甘露，母亲吴氏。赵三多，名三多，字祝盛，号称老祝。弟兄一个，本族兄弟中排四。

沙柳寨地处威县东隅老沙河古道耳形弯处，古称沙耳寨，后因柳树成林而改名。此地位于直（直隶）东（山东）交界七县结合部，山东"冠县十八村"、"邱县十八村"、"临清十八村"和直隶"曲周十八村"、"南宫十八村"的"飞地"犬牙交错，片片插花，形成三不管的特殊地域。这里交通闭塞，多发旱涝灾害，经济十分落后；清廷政治腐败，地方官吏巧取豪夺，农民挣扎在死亡线上；民众无力抗拒天灾人祸，祈求神灵佑助，民间宗教和迷信盛行；武术团体林立，拳场遍布，习武成风。

三多早年丧父，与其母艰辛度日。稍长即拾粪拾柴。

1855年（清咸丰五年）14岁。除耕种自家的薄田，还给地主打短工，辛劳一年粮棉交给地主，一家人仅落个秋饱。

1857年（咸丰七年）16岁。因在地主地里拾柴，被地主殴打一顿。三多不甘受欺侮，为了强身自卫，练拳习武，后投奔山东临清杏园村（现河北临西县后杏园村）拜梅花拳师张如纯为师，是梅花拳第十四代传人。

1860年（咸丰十年）19岁。与童养媳权氏结婚成家。

1861年（咸丰十一年）20岁。种地难以糊口，又借了点钱，做些推车挑担、蒸馍馍、炸果子的小买卖。

1865年（清同治四年）24岁。长子赵桐凤出生，桐凤终生未娶妻。

1868年（同治七年）27岁。生一女，后嫁与侯村侯克良为妻。

1869年（同治八年）28岁。随着帝国主义势力对我国的大肆扩张，天主教也在直东一带漫延。离沙柳寨八里的山东冠县梨园屯（今属威县），村民加入天主教者逐渐增多，要求议分建有玉皇庙的义学田地。梨园屯三街（后街、前街、西街）会首连同地保共同商议：将义学田地按四股均分，村民得三股，教民得一股，双方同意互立地亩分单。

1871年（同治十年）30岁。次子赵桐俊出生，桐俊终生未娶妻。

1873年（同治十二年）32岁。意籍传教士梁明德到梨园屯扩张教务。分得一股义学田地的王、杨、张三户教民接受梁明德150两银子，诡称替教民购买玉皇庙地基，他们私分了银子。梁明德指令教民拆庙盖天主教堂，玉皇庙被拆极大刺伤了村民的信仰感情，由此引发了旷日持久的民教矛盾。

1876年（清光绪二年）35岁。三子赵桐茂出生。

1878年（光绪四年）37岁。因为拳术高强，为人侠肝义胆又有谋略，被推为梅花拳首领，弟子两千多人，远近闻名。

1880年（光绪六年）39岁。干牛皮行的天主教教民阎老思，找到赵三多家，请三多入干股，妄想依仗洋教势力和赵三多的威力为自己撑门户发大财。赵三多不受利诱，严辞拒绝。

1884年（光绪十年）43岁。天主教不断发展，沙柳寨也有了四十多户教民，赵三多本家的一侄子赵含桐入了天主教。

1885年（光绪十一年）44岁。赵含桐和一些不良教民横行乡里。他们欺负一个姓任的老实百姓，赵三多打抱不平，替老任说话。赵含桐闯进三多家挑衅，赵三多脱下一只鞋，痛打赵含桐的脑袋，吓坏了其他教民，从此天主教在沙柳寨灭绝了。人们说："老祝一鞋底打散了沙柳寨的天主教"。

1887年（光绪十三年）46岁。1873年以后至1887年，梨园屯的庙堂之争最初表现为"汉教会"与"圣公会"全民的对抗，村民公推三街会首12人与20多户教民争议义学田地的处理问题，时而抗争，时而说和，时而上诉。到了1887年，村民方面不再由三街会首出面，转为由有功名身份的"六先生"王世昌、刘长安、左建勋等士绅领头。他们先后诉讼到冠县县令何式箴，东昌知府洪用舟。这些官吏畏俱洋人势力，都说管不了教民，令村民拆庙让天主教盖堂。王世昌据理严词力争，洪用舟无言答对，竟将他们监禁起来。村民同情地称他们为"六大冤"。此后的四五年，民教双方"互相涉讼"，"屡结屡翻"。

1890年（光绪十六年）49岁。在临清五里窑烧窑的姚文起（永年人）慕名来沙柳寨相会赵三多，论起梅花拳的辈次，赵三多为十四代，属"同"字辈；姚文起是十三代，属"玄"字辈，为赵三多的师叔。他们都反对洋教，志同道合。姚文起在赵三多家住了一些天，二人言谈投机，无所不扯，他们从梨园屯"六大冤"的遭遇，认识到眼下之年代，无处讲理，要维护自身权益，只来文的不行，得动武的。

1892年（光绪十八年）51岁。"六先生"与教会斗争，历经五年之久，终于失败。村中侠义之士认识到"官已不论法，我们就不守法，必须以武力护庙"。以阎书勤为首的"十八魁"领导村民武力护庙，展开更坚决的反教会斗争。"十八魁"以阎姓为主，联合高姓、马姓、姜姓，实际超过了18人，反教会骨干达25人之多。他们中除3个自耕农外全是贫雇农，都是练红拳的，首领是大刀阎书勤、长枪高元祥。"十八魁"手持刀枪监护，村民一齐出动，拆堂修庙，"十八魁"从临清州请来道士魏合意赴庙住持，并将以前练武所用的枪械转存庙中，以显示武力护庙的决心。

1894年（光绪二十年）53岁。梨园屯玉皇庙地的归属翻来复去，赵三多尽管看不惯教民仗教欺人的行径，仍从中以理调处，教民不应，遂诉讼至官府，县衙班房有不少赵三多的徒弟，教民未能胜诉，民教矛盾和冲突也没有解决。

1895年4月17日（光绪二十一年三月廿三日）54岁。甲午战争后，中国与日本签订了丧权辱国的"马关条约"。帝国主义列强掀起了瓜分中国的狂潮，外国教会更加趾高气扬，肆无忌惮地扩张地盘，包庇教会，干与词讼。东昌府屈从于教会势力，强令冠县梨园屯拆庙建堂，并要抓"十八魁"。

是年，赵三多目睹教民横行乡里，当官的媚洋奴外，欺压百姓，气愤难忍，他与师兄弟密谋起事。有些梅花拳师怕受连累，劝他不要犯乱。赵三多说："我是骑虎不能下背了，我不干天主教也不会放我过关，诸位老师放心，我闹事决不碍梅花拳的事，以后若失败，我想叫咱同道老师们隐避我哩。"遂将自己那一派梅花拳改称义和拳。"义和"亦为团结、合作、联合之意。

1896年（光绪二十二年）55岁。"十八魁"感到单凭他们和一村的力量难以抵抗教会和官府，决意投靠行侠仗义的赵三多，拜其为师。"十八魁"通过赵三多的徒弟小里固村的项德胜与其师父联系。赵三多再三考虑，征求姚文起、项德胜的意见，最后慨然同意收纳"十八魁"。梨园屯的教民听说阎书勤、高元祥等十八魁拜赵三多为师，在了义和拳，慌做一团，当即报告给外国神甫和官府。没过多久，官府派了一哨兵来，驻梨园屯，为教民壮胆。教民扬言"十八魁算什么？上边还要抓赵老祝哩。"

1897年4月21日（光绪二十三年三月廿日）56岁。赵三多和"十八魁"不但没被官兵洋教吓倒，反而在梨园屯摆会亮拳向教会和官府示威。从三月廿日到廿二日各路拳民从清河、曲周、威县、邱县、临清、冠县四面八方，集聚在梨园屯村南大场园各个拳场上，有的练拳，有的耍刀，有的舞剑，有的对枪，展示了各种武功。观看的人里三层外三层，喝彩声如山呼虎啸。驻军不知所措，教民藏起来或躲到外村。他们把此情况很快报到山东官府。

11月14日（十月廿日）因巨野教案德国侵占了山东胶州湾，进一步激化了民教矛盾，中国民众反教会斗争逐步升级。

12月（十一——十二月）张如梅任山东巡抚后，对义和拳采取先抚后剿的策略。张如梅派东临道台陶锡祺、东昌知府洪用舟、临清知州王寿朋、冠县知县曹倜、邱县知县李瑞祺到梨园屯北边的中兴集（今干集）乐育书院传问梨园屯双方当事人，还请四乡绅士和有名望的人士去公议。赵三多被请到，他面对五官仗义执言。五官员鉴于事理，慑于义和拳的声势，将庙基归还村民，答应给教民在村里另修一座教堂，同时送给赵三多一块廪生匾，上书"直良可风"四个字，并答应如赵三多解散义和拳不再闹事，给其置地、盖房。赵三多当即表示，我家屋子小，挂不开你这匾，也不要廪生的头衔，愤然而去。五官员招抚赵三多的计谋不能实现，张如梅就派曹倜赴梨园屯镇压义和拳。

1898年春（光绪二十四年）57岁。冠县、威县一带拳民听到"洋兵"要到来，加强了联系和联合，义和拳、梅花拳与"十八魁"统一行动，提出了"毁教灭夷"的口号，开展了更激烈地反教会、反列强的斗争。

4月（三月）义和拳首先烧了威县崔家陈村教民的房屋，继而由黑刘村梅花拳拳首刘小同率众进袭曲周县麦子鸟营教堂。拳民高喊"我们是十八魁，凡不是教民都不要害怕，我们是专门来消灭那些欧洲人的教徒，他们胆敢在这里建堂"。

4月27日（闰三月初七）因梨园屯教会寻衅，赵三多率义和拳众攻打梨园屯，杀教民2人。

5月5日（三月十五日）大名府广平府总本堂司铎范迪吉在从威县赵家庄本堂发出致主教步天衢函中写到："依我看来……德国人对胶州的侵略行径在中国官员和易变的民众思想中产生了恼火的反感。洋人大炮所轰不到的内地传教区，就难免不遭受这股恼火的反感情绪的反击。看到邻近的冠县梨园屯的遭遇，我们这里可能比其他地方更感可怕"。

5月14日（闰三月廿四日）十八魁与义和拳又进袭了威县钟官营教民村，潘村、马家庄等村的教民为此感到十分紧张。

5月15日（闰三月廿五日）德国天主教威县传教士万其偈致信直隶东南教区主教步天衢："……昨夜，钟官营遭三四十名匪徒袭击，情况与三周前麦子乌营发生的事相仿，同样凶残狂暴，危及教友生命。……自麦子乌营遭劫后，三个星期以来，地方上未见一兵一卒，也未曾做过任何搜查，致使匪徒逍遥法外。我想，务必使葛光被神甫知道这些情况，并让上面积极采取行动……，必须坚决而强硬地跟北京交涉，而且越快越好。"

5月17日（闰三月廿七日）献县大司铎葛光被代表直隶东南教区主教步天衢拟呈致德国驻华公使关于梨园屯事件的报告。该报告透露：东昌府虽派士兵和官员进驻梨园屯，但未能逮捕十八魁，取缔梅花拳、义和拳。清政府怕引起暴动，想劝谕赵三多放弃斗争，免于惩处。对此，传教士极为不满，他们已致函直隶总督要求保护教会安全，赔偿所受损失，求助法国公使敦促山东解决问题。

5月6日（闰三——五月）梨园屯教案纠纷升级后，在外国传教士的压力下，山东巡抚给梨园屯驻军下达命令拆毁玉皇庙，追捕十八魁和赵三多。

8至9月（六——八月）在帝国主义列强加紧瓜分中国，中华民族危亡的关头，在教会迫使清政府追捕的形势下，赵三多决意起义，他与姚文起、阎书勤、朱九斌、刘化龙等人多次在沙柳寨义和拳议事厅秘密策划。他们分头募捐钱粮，打制武器，购买火药，拜访联络各路拳师，聚集队伍，散发传贴，做了起义的准备。红桃园一个老太太卖了十亩地支持赵三多，她说："祝师父，把这些邪魔歪道杀光，才能过清净日子"。

　　10月3日（八月十八日）凌晨过后，按照传贴三千多人从四面八方涌向同属冠县"飞地"的蒋庄村南马场，领头的是首领赵三多和永年的姚文起、朱九斌、刘化龙，梨园屯的阎书勤，小里固的项德胜、红桃园的陈八和杨八，枣科的石三德，大王曲的陈老明等。义军头裹手巾，脚穿长靴，手持快枪长矛，黑边黄幡的旗上写着"顺清灭洋"。临时搭了起义台，台上摆着香案。赵三多身披红袍，举令字旗，登台讲话，号召拳民和民众烧教堂，杀洋人。同时宣布编队和禁令：十人一班头目叫十长，百人一队头目叫百长；十人打三角小旗，百人打黄色镶黑边狼牙大旗。禁令是不能强奸妇女，不贪图财物，不杀害教民小孩，违者砍头。接着焚香，台上台下，一齐跪下盟誓，祭旗后号令出发。

　　义和拳起义后，当日天不亮就由赵桐凤带领一部分义军进袭教民霸道的红桃园，杀了一个不良教民。黎明，义军又打下小里固，焚烧了教堂。

　　11月3日（九月二十日）赵三多率众攻打威县第三口教堂，义军获胜，烧了第三口教堂，然后回旋在侯村沙柳寨一带。

　　11月4日（九月二十一日）赵三多首次起义，震动了清政府的统治。《威县志》载："二十四年秋沙柳寨义和拳民赵三多率拳民扰乱城东一带村庄，先是山东冠县梨园屯村义和拳民与天主教民因庙地起争端，激成事变。"《冠县志》记载"赵三多为统领，啸聚数千人，蔓延十余县，声势大振，风鹤频惊"。在直隶、山东两省清军的夹攻下，义军被包围在侯村、魏村。姚文起在同官兵交火中负伤被捕，旋被杀害。拳民队伍亦被打散，严重受挫。赵三多率义和拳余部突出重围，转移到西留善固一带。

赵三多怕清军再来围剿造成更大的损失，动员大家暂且各回各家，将力量隐蔽积蓄起来。赵三多说"头回败了再来二回，败于南可胜于北，只要我赵三多不死，大家再听信。"赵三多领导的义和拳首次起义虽然失败了，但它揭开了义和团运动的序幕，点燃了反帝爱国斗争的燎原烈火。

1899年（光绪二十五年正月）58岁。首次起义失败后，赵三多带着桐凤和几个徒弟，来到枣强县卷子镇，各县梅花拳闻讯官府追杀义和拳拳师赵三多，都纷纷邀赵转移到他们那里。赵三多随即到了武邑、景州等地。晋州、正定也来邀请，他便顺着滹沱河北上，沿运河两岸各县游走，还到了沧州。朱九斌、刘化九等也在保定北京之间联络固安、良乡各地拳众，与赵三多形成一气。

5月17日（光绪二十五年四月初八）借佛祖释迦牟尼生日，在正定大佛寺由赵三多召开义和拳各路首领的会议。赵三多首先讲了以往起义失败的原因，主要是各路拳民配合不好，有的动，有的不动；再就是直、东两省派重兵围剿。经过商量聚议，大家商定今后起事各地一齐行动，除了梅花拳还要广泛联络静海、青县、沧州、东光、南皮各州县的"铁布衫"、"红门"、"白门"等秘密团体。还决定将义和拳改名为"神助义和拳"，亦称"义和团"。最后赵三多与其他首领进行了分工。赵三多仍在滹沱河沿岸州县活动，并准备随时起义，大佛寺会议还广散了反帝爱国的揭贴。其揭贴云："神助拳、义和团，只因鬼子闹中原，劝奉教、自信天，不敬神，忘祖先，男无伦，女行奸，鬼子不是人所添。如不信，仔细看，鬼子眼睛都发蓝，天无雨，地焦干，全是教堂遮住天。神也怒，仙也烦，一同下山把道传。非是邪，非白莲，独念咒语说真言。升黄表，敬香烟，请来各洞众神仙。神出动，仙下山，附着人体把拳玩。兵法艺，都学全，要平鬼子不费难。拆铁道，拔线杆，紧接毁坏火轮船。大法国，心胆寒，英美俄德法尽萧然。洋鬼子，全平完，大清一统锦江山。"

1899年秋至1900年春夏（光绪二十五一二十六年）直东交界一带大旱，卫河干枯，野无青草，粮价飞涨，贫苦农民靠吃糠菜、树皮维生，或卖儿鬻女，外出乞讨。在这灾情严重、洋教残民的逼迫下，"贫民无以聊生，争附和拳民，名为均粮，实则仇教"。这为赵三多的义和拳再次起义创造了条件。

1900年5月2日（光绪二十六年四月初四）59岁。赵三多在枣强卷子镇举起"兴清灭洋"的旗号第二次起义，率领万余名拳民和民众用武力打击反动的教会势力。同时开展"均粮"斗争，强令富户均给贫苦农民粮食。义军分三股：赵三多带一股由滹沱河、运河向南挺进；另一股乜头领留景县一带活动；第三股由阎书勤带领沿运河南下，经山东恩县去打武城十二里庄教堂。

6月（五月），京津一带义和团和部分清军联合作战，攻打教堂、外国租界、东交民巷使馆区，阻击驻天津的八国联军进犯北京。

7月初（六月上旬）赵三多率义军向晋州、无级、正定进发中，正遇着英日洋兵追击守卫娘子关的毅军。赵部与毅军相互配合，抗击英日部队，迫使洋兵退回天津。赵三多回师藁城、南宫、威县。

7月9日（六月十三）攻打小芦教堂。小芦教堂是天主教方济各会山东代牧区的重要堂口，是天主教势力的一个中心，驻扎的清军防勇较多。赵三多带领一部分队伍，在义和拳谭奎芳全力配合下开展凌厉的攻势，小芦教堂的防勇抵持不住，保护传教士狼狈逃往济南，教堂被焚之一炬。

7月15日（六月十九日）攻打景县朱家河教堂。朱家河是直东一带传教士最集中、教民最多的大教堂，防备甚严，有枪有炮。义军来自各路义和拳，由晤修和尚和王庆一带领，两次攻打不下而牺牲，最后借助江西按察使陈泽霖统率的北上勤王军，用新式枪炮于7月20日（光绪二十六年六月二十四日）打开了教堂，教民死了三四千人。

7月16日（六月二十日）阎书勤同牛豁子带领常屯一带拳民会同清河、故城、恩县、武城等地拳民攻打武城十二里庄教堂。由于教堂备有洋枪洋炮，又有寨墙护围，义军靠大刀、长矛几经攻打，未能攻下，而且伤亡严重。

7月18日—22日（六月二十二日—二十六日）赵三多打下小芦教堂以后，对原属献县主教区的大堂口威县赵庄教堂，集中了七八千拳民三次攻打。由于教堂防备严密，武器先进，义军长期转战粮草难筹，未能攻下。·

8月14日（七月二十日）八国联军攻陷北京。义和团遭到中外反动势力的镇压。

8月16日（七月二十二日）赵三多、阎书勤率部返回沙柳寨、梨园屯一带休整。教会见有机可乘，照会清政府由地方官吏带兵马将义军包围。阎书勤被叛徒出卖，随同他的31名拳民一起被捕，只有宋赤子、高元祥等带领部分拳众突围而出。阎书勤被解往临清后惨遭杀害，年仅41岁。赵三多潜走，第二次起义宣告失败。

8月—9月（七—八月）二次起义失败后，赵三多先到枣强等地看了一下，考虑难以再起，就带了一家老小到了巨鹿姬家屯，借住在武举樊炳章的一处闲宅里。

1901年4月（光绪二十七年三月）60岁。赵三多结识了广宗东召村武举景廷宾。

9月7日（七月廿五日）俄、英、美、日、德、法、意、奥、西、比、荷十一国胁迫清政府签订了《辛丑条约》，清政府向各国赔款4.5亿两白银，还要由地方向内地教民、教堂赔偿。

11月（十月）广宗县知县魏祖德令全县各村每亩摊京钱四十文，民众负担不起，公推景廷宾与县交涉，交涉无效，民众拒而不交。

11月22日（十一月）景廷宾率全县团勇和梅花拳民15000多人到县城北门外合大操，炮口对准县衙，以武力示威和抗捐税。

1902年2月（光绪二十八年正月）61岁。景廷宾抗"洋差"使直隶总督袁世凯十分震惊，他向清政府上奏，清政府颁发上谕："缉拿首要，解散协从"。

3月3日（正月二十四日）夜，驻广宗清军分三路进攻东召袭击乡团。景廷宾早有准备，带乡团迎战官兵。经过激战，由于清军装备好，兵马多，力量悬殊，东召村陷落。不少团民战死，景廷宾向西突围，赵三多接应。

4月23日（三月十六日）景廷宾和赵三多的队伍会合于巨鹿厦头寺。经过商议，决定正式起义。他们接受赵三多义和拳前两次起义教训，认清了清政府腐败无能、屈服洋人镇压民众的面目，打出了扫清灭洋、"官逼民反"的旗帜。景廷宾为大元帅，赵三多为先锋。起义军声势浩大，响应热烈，很快发展到十万多人。

4月24日（三月十七日）正当义军准备攻打威县、广宗、巨鹿时，袁世凯的武右军后营管带鲍贵卿由威县招常备军新兵百余人赴省路过厦头寺，被义军袭击，典史钱德葆、附生刘炳勋，千总吕孝申，护勇五名和新军50余名被义军杀死，鲍贵卿负伤逃回。义军移军广宗件只村。

4月26日（三月十九日）威县张庄教堂罗泽溥传教士从大名府回归，遇到义军，罗教士与随从二人被杀死。

4月29日（三月二十二日）景廷宾率师东进，攻打威县北部教民村张家庄。张家庄是天主教在威县的重要堂口之一，该村四周筑有土围子，寨墙外是一丈多宽的深沟，四门建有炮台，教民备有火枪。起义军日夜攻打，未能攻下，义军死伤数百人。袁世凯得知此事，急奏朝廷："景廷宾始则传帖聚众，抗打官兵，继则树旗造反，潜称伪号，其旗帜甚至有'扫清灭洋'字样"。慈禧太后准奏并谕令袁世凯"尽法惩治，以免引起列强干涉"。

5月初（三月末）袁世凯派遣亲信队伍武右军马步炮工辎五兵种万余人出发，以段祺瑞为总司令，段芝贵、倪嗣冲为副司令，冯国璋为总参谋长围剿义军。袁世凯亲临督战，官兵一过南宫，见人开枪，见村开炮，血洗村寨，三十多个村庄的几千名无辜百姓惨遭杀戮，数千名团民被杀。三月底，清兵进攻件只村景廷宾大元帅驻地。

5月9日（四月初二）件只村被清军攻占，义军骨干赵老贵、张景逊、邢老秘牺牲。景廷宾突出重围，转移到河南属地临漳县郭家小屯被捕，解往威县，后被凌迟处死。

5月（四月）赵三多从件只南口突出重围，回到巨鹿姬家屯后被俘，押入南宫监牢。在南宫知县升堂提审时，赵三多昂首挺胸，慨愤陈词，骂不绝口，宁死不屈。在狱中绝食七天，于七月六日身亡，终年61岁。

赵三多死后，清政府仍不罢休，割下他的头来，先后悬挂南宫、广宗、威县三县县城示众，威吓百姓。当赵三多的人头挂在威县西门上时，被他的徒弟赵三容（外号四老弯）等人冒险取回，在沙柳寨村赵三仕家操办，将头颅与先期埋下的尸体合葬在一起。赵三多的墓地现仍在沙柳寨村北。

赵三多传略

黄成俊

赵三多是史学界公认的义和团运动的主要首领,他为反帝救国三次起义,不屈不挠,英勇悲壮。他的名子彪炳青史,光照人寰。近年来,国内外的专家学者、社会贤达、青年学生,络绎不绝地来到他的故乡——河北威县沙柳寨,考察参观,凭吊先烈。威县人民为故土养育出这样一位杰出的民族英雄而无比自豪。

生于乱世贫家

赵三多,字祝盛,号称老祝。1841年5月26日(清道光二十一年四月六日)出生于直隶(今河北)威县沙柳寨一个贫苦农民家庭。父亲赵甘露,母亲吴氏,生三多一子。家有薄地三亩,草房一间半。

赵三多生活的19世纪中下叶,清皇朝已失去了大清国往日的生机,由于吏治腐败,苛政残民,导致社会动荡,综合国力衰弱。1840年,鸦片战争爆发,英国炮舰打开了中国大门。帝国主义列强接踵入侵,清政府被迫与其签定了一个个丧权辱国的条约。白银外流,国土沦失,困苦的民众如雪上加霜。忠良被黜,壮士殉国,人民造反,天怒人怨。那是一个沸腾骚动的时代。

赵三多的家乡位于直(隶)东(山东)两省交界七县结合部,五县"十八村"的"飞地"犬牙交错三不管的特殊地带。这里旱涝灾害频发,清政府横征暴敛,农民极度贫困,挣扎在死亡线上;民众无力抗拒天灾人祸,祈求神灵佑护,民间宗教和迷信盛行;时有匪患,为防御计,习武成风,武术团体林立。

赵三多早年丧父，与其母拾粪种地，拾柴供炊，艰辛度日。稍长给地主打短工，后来还做些推车挑担、蒸馍馍、炸果子的小买卖。有一次，因在地主地里拾柴被老财殴打，三多不甘受欺侮，为了强身自卫，练拳习武，后投奔山东临清杏园村（今河北临西县后杏园村）梅花拳师张如纯为师，是梅花拳第十四代传人。赵三多三十多岁，因拳术高强，好扶贫济困，打抱不平，受人拥戴，被推为梅花拳师，弟子两千多人。

收徒"十八魁"

在西方列强侵华中，天主教传教士是一支别动队。他们不但渗透西方文化，俘虏国人精神，而且为本国政府搜集军事、政治、经济、文化的情报，充当侵略者的侦探和先导，随着满清政府步步退让、投降，西方传教士不仅享有治外法权，且享有不平等条约中的一切特权，还具有不同等级的地方官的政治地位。传教士和不良教民依靠列强做后盾，以教堂为堡垒，对抗官府，欺压民众，掠夺财产，干与诉讼，无法无天。19世纪60年代后，各地教案频发，农民群众与反动教会的斗争本质上是中国人民反抗帝国主义侵略的爱国主义行动。

冠县教案是清末山东冠县"飞地"梨园屯（今属河北威县，与沙柳寨相距八华里）村民和赵三多领导的义和拳与反动教会的斗争，它引发了义和团运动。1869年，梨园屯教民提出要分本村义学田地和原玉皇庙庙基。过了几年意籍传教士指令教民强行拆庙建造天主教堂，激起了村民的公愤。村民拆堂盖庙，教民拆庙盖堂。梨园屯的庙堂之争最初表现为"汉教会"与"圣公会"全民的对抗，村民公推三街会首12人与20多户教民争议义学田地的处理问题，时而抗争，时而说和，时而上诉。到了1887年，村民方面不再由三街会首出面，转为由有功名身份的王世昌、刘长安、左建勋等六名士绅领头，先后诉讼到冠县县令何式箴，东昌知府洪用舟。这些官吏畏惧洋人势力，都说管不了教民，令村民拆庙让天主教盖堂。王世昌据理严词力争，洪用舟无言答对，竟将他们监禁起来。村民同情地称他们为"六大冤"。此后的四五年，民教双方"互相涉讼"，"屡结屡翻"。"六先生"与教会斗争，历经五年之久，终于失败。村中侠义之士认识到"官已不论法，我们就不守法，必须以武力护庙"。以阎书勤为首的"十八魁"领导村民武力护庙，展开更坚决的反教会斗争。"十八魁"以阎姓为主，联合高姓、马姓、姜姓，实际超过了18人，反教会骨干达25人之多。他们中除3户自耕农外全是贫雇农，都是练红拳的，首领是大刀阎书勤、长枪高元祥。"十八魁"手持刀枪监护，村民一齐出动，拆堂修庙，"十八魁"从临清请来道士魏合意赴庙住持，并将以前练武所用的枪械转存庙中，以显示武力护庙的决心。

梨园屯玉皇庙地基的归属翻来复去，赵三多曾从中以理调处，教民不应，遂诉讼至官府，县衙班房有不少赵三多的徒弟，教民未能胜诉，民教矛盾和冲突也没有解决。甲午之战后，中国与日本签订了《马关条约》，帝国主义列强掀起了瓜分中国的狂潮，外国教会更加趾高气扬，肆无忌惮地扩张地盘。东昌府屈从于教会势力，强令冠县梨园屯拆庙建堂，并要抓"十八魁"。赵三多目睹教民横行乡里，当官的媚洋奴外，欺压百姓，气愤难忍，他与师兄弟密谋起事。有些梅花拳师怕受连累，劝他不要犯乱。赵三多说："我是骑虎不能下背了，我不干天主教也不会放我过关，诸位老师放心，我闹事决不碍梅花拳的事，以后若失败，我想叫咱同道老师们隐避我哩。"遂将自己那一派梅花拳改称义和拳。

1896年春，"十八魁"感到单凭他们和一村的力量难以抵抗教会和官府，决意投靠行侠仗义的赵三多，拜其为师。赵三多再三考虑，最后慨然同意收纳"十八魁"。梨园屯的教民听说阎书勤、高元祥等十八魁拜赵三多为师，在了义和拳，慌做一团，当即报告给外国神甫和官府。没过多久，官府派了一哨兵来，驻梨园屯，为教民壮胆。教民扬言："十八魁算什么，上边还要抓赵老祝哩。"赵三多和"十八魁"不但没被官兵洋教吓倒，反而在梨园屯摆会亮拳向教会官府示威。从1897年4月21日到23日各路拳民从清河、曲周、威县、邱县、临清、冠县四面八方，集聚在梨园屯村南大场园各个拳场上，有的练拳、耍刀，有的舞剑，有的对枪，展示了各种武功。观看的人里三层外三层，喝彩声如山呼虎啸。驻军不知所措，教民藏起来或躲到外村。他们把此情况很快报到山东官府。

山东巡抚派东临道台、东昌知府、临清知州、冠县和邱县知县到冠县中兴集（今威县干集）乐育书院传问梨园屯双方当事人，还请四乡绅士和有名望的人士去公议。赵三多被请到，他面对五官员仗义执言。五官员鉴于事理，慑于义和拳的力量，将庙基归还村民，答应官家出钱给教民在村里另修一座教堂。听到这个消息，梨园屯和四乡村民拍手称快，纷纷上布施和按地庙出钱，不到两个月就将玉皇庙修起。唱戏开光时，庙门上贴着对联。上联是：五员青天，评情论事，费尽多少苦心；下联是：百里善土，扶正黜邪，开创万古大业。赵三多与村民的心情不同，他寻思者，事情没那么简单，官家还可能变卦，他没有被五官耍的花招所迷惑，他在中兴集书院就拒不接受官家赠他的"直良可风"的廪生匾和解散义和拳的要挟。

蒋庄首举义旗

梨园屯教案结而复争，在外国传教士的压力下，山东巡抚翻了脸，又往梨园屯增兵，强令拆毁玉皇庙，追捕赵三多、"十八魁"，镇压义和拳。在此形势下，赵三多决意起义，以武力抗争，维护中国人的尊严。他与姚文起、阎书勤、朱九斌、刘化龙等人多次在沙柳寨义和拳议事厅秘密策划。为了减少敌对面，决定推动清政府一起反洋人。他们分头募捐钱粮，打制武器，购买火药，拜访联络各种拳师，聚集队伍，散发传帖，做了起义的准备。红桃园一个老太太卖了十亩地支持赵三多，她说："祝师父，把这些邪魔歪道杀光，才能过清净日子。"

1898年10月3日（光绪二十四年八月十八日）凌晨过后，按照传帖三千多人从四面八方涌向同属冠县"飞地"的蒋庄村南马场，领头的是首领赵三多和永年的姚文起、朱九斌、刘化龙，梨园屯的阎书勤，小里固的项德胜，红桃园的陈八和杨八，枣科的石三德，大王曲的陈老明等。义军头裹手巾，脚穿长靴，手持快枪长矛大刀，黑边黄幡的旗上写着"顺清灭洋"。临时搭了起义台，台了摆着香案。赵三多身披红袍，举令字旗，登台讲话："弟兄们，我们起事了。我们不准洋鬼子和教民遭害我们中国，横行霸道，我们要去烧教堂，灭洋教！我们是义军，叫义和拳。"同时，宣布编队和禁令：十人一班头目叫十长，百人一队头目叫百长；十人打三角小旗，百人打黄色镶黑边狼牙大旗。禁令是不能强奸妇女，不贪图财物，不杀害教民小孩，违者砍头。义军呼喊口号热烈响应。接着焚香，台上台下，一齐跪下盟誓，祭旗后号令出发。

义和拳起义后，当日天不亮就由赵三多长子赵桐凤带领一部分义军进袭教民霸道的红桃园，杀了一个不良教民。黎明，义军又打下小里固，焚烧了教堂。赵三多还亲率义军攻打第三口教堂，义军获胜，烧了第三口教堂。农历十月间，赵三多又率义军进驻邱县常屯，与山东开来的清兵打了一仗，虽然武器不如清兵，但士气高涨，打了胜仗，大灭了冠、邱、威一带反动教会的气焰。义和拳队伍增加了四千人，声威大振，队伍开到哪里，路上就有人送水送饭，大力支持。

赵三多首次起义，震动了清政府的统治。《威县志》载："二十四年秋沙柳寨义和拳民赵三多率拳民扰乱城东一带村庄，先是山东冠县梨园屯村义和拳民与天主教民因庙地起争端，激成事变。"《冠县志》记载："赵三多为统领，啸聚数千人，蔓延十余县，声势大振，风鹤频惊。"常屯一仗之后，赵三多、阎书勤、姚文起带领义军南移，准备攻打梨园屯教堂。阎书勤、高元祥先行。当他们进村后，得知官府派来大批武装精良的官兵实难对付，便马上出村迎上了赵三多，将队伍转移到侯村、魏村一带休整。在直隶、山东两省清军的夹攻下，义军被包围在侯村、魏村。姚文起在同官兵交火中负伤被捕，旋被杀害。拳民队伍亦被打散。赵三多率义和拳余部200多人突出重围，转移到临清西留善固村。面对清军围追敌强我弱的形势，义军不畏强暴，要跟着赵三多与敌以死相拼。赵三多作为义军的领袖人物，沉着冷静，他清醒地认识到：要避免更大的无谓的牺牲，只有化整为零，保存实力。他动员大家各自回家，如回家有危险就分散隐蔽在同情拳民的乡团中。赵三多说："头回败了再来二回，败于南可胜于北，只要我赵三多不死，大家再听信。"赵三多组织领导的义和拳首次起义虽然失败了，但它揭开了义和团运动的序幕，点燃了反帝爱国斗争的燎原烈火。

大佛寺秘议方略

赵三多发起的蒋庄起义被镇压了，但义和拳运动却由南往北，此伏彼起，风起云涌。枣强县王庆一，阜城县武修和尚，衡水县武举渠成江，新城县张德成，静海县曹福田和山东德州李发祥，冠县阎书勤等拳师首领分别在各自的家乡和邻县设场练拳，聚集队伍，焚烧教堂，反抗洋人。直东大地，京津一带等地区到处燃起了义和拳运动的干柴烈火。

赵三多离开了同生死共战斗的弟兄，带着桐凤和几个徒弟到了枣强县卷子镇。各县的义和拳师闻讯赵三多被官府追杀，都纷纷邀请。赵三多便沿运河两岸和滹沱河游走，先后到了武邑、晋县、沧州等地。朱九斌、刘化龙也在保定与北京之间活动，联络固安、良乡、涿州、大兴的拳民，形成南北呼应之势。

1899年5月17日（光绪二十五年四月初八）借佛祖释迦牟尼生日，以烧香为名，在正定大佛寺由赵三多召开义和拳各路首领的会议。赵三多首先讲了以往起义失败的原因，主要是各种拳民配合不好，有的动，有的不动；再就是直、东两省官府迫于洋人压力，派重兵围剿。赵三多说完后，各路拳师个个摩拳擦掌，纷纷说道：不怕洋人凶恶，不怕失败，就怕灰心，祝师傅你只要不灰心，咱干二回，你看你走这趟，没有不助劲的。经过聚议，大家商定今后起事各地一齐行动，除了梅花拳还要广泛联络静海、青县、沧州、东光、南皮各州县的"铁布衫"、"红门"、"白门"等秘密团体。还决定将义和拳改名为"神助义和拳"，亦称"义和团"，只说练拳保家，避免官家干涉，以防两面受敌。最后赵三多与其他首领进行了分工。赵三多仍在滹沱河沿岸州县活动，并准备随时起义。大佛寺会议还广散了反帝爱国的揭贴。其揭贴云："神助拳、义和团，只因鬼子闹中原。劝奉教，自信天，不敬神佛忘祖先。男无伦，妇行奸，鬼子不是人所添。如不信，仔细看，鬼子眼珠都发蓝。天无雨，地焦干，全是教堂遮住天。神也怒，仙也烦，一同下山把道传。非是邪，非白莲，独念咒语说真言。升黄表，敬香烟，请来各洞众神仙。神出动，仙下山，附着人体把拳玩。兵法艺，都学全。要平鬼子不费难。拆铁道，拔线杆，紧接毁坏火轮船。大法国，心胆寒，英美俄德尽萧然。洋鬼子，全平完，大清一统锦江山。"

　　大佛寺会议，总结了第一次起义的教训，统一了各路拳师的思想，坚定了反洋教斗争的决心；进一步破除门户之见，扩大了协调联动力量；确定主攻几个大教堂；同时注意到了策略、调整了口号，加强了宣传鼓动。这为二次起义掀起义和团运动的高潮做了必要的准备。

卷子镇再次起义

　　1899年秋至1900年春夏，直东交界一带大旱，卫河干枯，野无青草，粮价飞涨，贫苦农民靠吃糠菜、树皮维生，或卖儿鬻女，外出乞讨。在这灾情严重、洋教残民的逼迫下，"贫民无以聊生，争附和拳民"，这为赵三多的义和拳再次起义创造了条件。

1900年5月2日（光绪二十六年四月初四），赵三多在枣强卷子镇举起"兴清灭洋"的旗号第二次起义，带领万余名拳民和民众以武力打击反动的教会势力。同时开展均粮斗争，强令富户分给贫苦农民粮食。这次起义一呼百应，范围广，声势大，不但与枣强、阜城的王庆一、武修和尚，京津一带的朱九斌、刘化龙、张德成，山东的阎书勤、红灯照等同时起事，还吸收宋赤子的神拳队伍，联合了青县、东光等地的秘密教门。义军分三路：赵三多带一路由滹沱河、运河向南挺进；阎书勤带一路由运河东往南进攻山东恩县、夏津、武城的教堂；乜头领带一路留景县一带活动。六月间，赵三多带队伍向晋州、无极、正定进发中，正遇着英日洋兵追击守卫娘子关的毅军。赵与毅军两方配合，抗击英日洋兵，迫使洋兵退回天津，赵三多回师藁城、南宫、威县，攻打临清小芦教堂。小芦教堂是天主教方济各会山东代牧区的重要堂口，是天主教势力的一个中心，驻扎的清军防勇较多。赵三多带领一部分队伍，在义和拳谭奎芳全力配合下发起凌厉的攻势，小芦教堂的防勇抵持不住，保护传教士狼狈逃往济南，教堂被焚之一炬。随后打下梨园屯、小里固、红桃园、蒋陈庄教堂。

在此前后，由武修和尚和王庆一带领，借助路过此地的江西按察使陈泽霖的勤王军，攻破景县朱家河教堂，杀死反动教民三四千人。义和团还象潮水般地涌入京津，他们与部分清军联合作战，攻打教堂、外国租界、东交民巷使馆区，阻击驻天津的八国联军进犯侵掳北京。义和团和少数爱国官兵在两个来月的浴血战斗中，杀死了不少洋鬼子，打得侵略者惊恐万状，惶惶不可终日。

128

在赵三多打下一个又一个教堂后，他又集中了七八千义军攻打原属献县主教区的大堂口威县赵庄教堂。由于教堂防备严密，外国传教士指挥，装备了钢炮、快枪，难以攻破。加之义军长期转战，粮草难筹，虽三次攻打，未能攻下。

8月14日，八国联军攻陷北京，义和团惨遭中外反动势力的镇压。8月16日赵三多、阎书勤率部返回沙柳寨、梨园屯一带休整。教会见有机可乘，照会清政府由地方官吏带兵马将义军包围。阎书勤被叛徒出卖，随同他的31名拳民一起被捕，只有宋赤子、高元祥等带领部分拳众突围而出。阎书勤被解往临清后惨遭杀害，年仅41岁。赵三多潜走，第二次起义宣告失败。

举起"扫清灭洋"的旗帜

赵三多在两次起义的"旗帜"上，着实费了一番心思，他否定了"反清复明"、"排满兴汉"的建议，选定了"兴清灭洋"、"顺清灭洋"的旗号，意在推动清政府与民众一道反侵略，保国家，振兴中华。但此时的清朝最高统治者，特别是主政40年的慈禧太后是反动腐朽势力的总代表，是病入膏育恶性不改的豺狼，干的是害民误国的勾当。你"兴清"，它也兴盛不了；你"扶清"，它也站立不起来；你"顺清"、"助清"，它也不买你的帐，反倒把枪口对准义和健儿的胸膛。赵三多从义和团英烈的血泊中爬起来，从中外反动派的刀枪中冲出来，清醒地认识到，清政府和外国侵略者都是压迫民众，鱼肉百姓的顽敌，他横下一条心，寻找机会，重新聚义，把洋教、清政府一扫光。

赵三多二次起义失败后，先到枣强一带观察了一下形势，认为一时不宜再举大事，就带一家老小到了巨鹿县姬家屯，借住在武举樊炳章的一处闲宅里。大儿子桐凤在广宗县城一家馍馍铺里帮工。他们一家分两处住，互通信息，也避免被清军一网打尽。没过多久，赵三多结识了广宗东召村武举景廷宾。赵三多在广宗、巨鹿有良好的社会基础，二次起义时，广宗1000多名梅花拳参加了他领导的反洋教打教堂的斗争。

1901年9月7日，俄、英、美、日、德、法、意、奥、西、比、荷十一国因义和团抗击八国联军为由胁迫清政府签订了《辛丑条约》，清政府向各国赔款4.5亿两白银，本地的教堂教民还向地方要钱，当官的也想借机会中饱私囊。这样算下来，广宗全县各村每亩摊京钱40文，民众负担不起，纷纷抗捐。广宗的有识之士张改"团练会"为"联庄会"，公推景廷宾为全县"联庄会"总团头，抗"洋捐"的首领。景廷宾率全县团勇和梅花拳15000人到县城北门外合大操，炮口对准县衙，以武力示威和抗洋捐。景廷宾抗"洋差"使直隶总督袁世凯十分震惊，他向清政府上奏，清政府颁发上谕："缉拿首要，解散协从。"赵三多对景廷宾说：抗捐是民众的意愿，一天不交两天不交行了，要抗到底还得再想办法，他以亲身的体会告诫景廷宾警惕清政府，准备好武力相拼。邻近各县的义和团首领，"联庄会"总团头也都纷纷支持、赞助景廷宾起事。1902年3月3日夜，驻广宗清军分三路进攻东召袭击乡团。景廷宾早有准备，带乡团迎战官兵。经过激战，由于清军装备好，兵马多，力量悬殊，东召村陷落。不少团民战死，在赵三多接应下，景廷宾向西突出重围。

1902年4月23日（光绪二十八年三月十六日）景廷宾和赵三多的队伍会合于巨鹿厦头寺。经过商议，决定正式起义。他们接受赵三多义和拳前两次起义教训，认清了清政府腐败无能、屈服洋人镇压民众的面目，打出了"扫清灭洋"、"官逼民反"的旗帜，开展反帝反封建的斗争。景廷宾为大元帅，赵三多为先锋。起义军声势浩大，响应热烈，很快发展到十万多人。正当义军准备攻打威县、广宗、巨鹿时，袁世凯的武卫右军后营管带鲍贵卿由威县招常备军新兵百余人赴省路过厦头寺，被义军袭击，典史钱千葆、附生刘炳勋，千总吕孝申，护勇五名和新军50余名被义军杀死，鲍贵卿负伤逃回。义军移军广宗件只村。威县张庄教堂罗泽溥神甫从大名府回归，遇到义军，罗神甫与随从二人被杀死。

4月29日景廷宾率师东进，攻打威县北部张家庄。张家庄是天主教在威县的重要堂口之一，该村四周筑在土围子，寨墙外是一丈多宽的深沟，四门建有炮台，教民备有火枪。起义军日夜攻打，未能攻下，义军死伤数百人。袁世凯得知此事，急奏朝廷："景廷宾始则传贴聚众，抗打官兵，继则树旗造反，潜称伪号，其旗帜甚至有'扫清灭洋'字样"。慈禧太后准奏并谕令袁世凯"尽法惩治，以免引起列强干涉"。袁世凯派遣亲信队伍武卫右军马步炮工辎五兵种万余人出发，以段祺瑞为总司令，段芝贵、倪嗣冲为副司令，冯国璋为总参谋长围剿义军。袁世凯亲临督战，法、德、日军6000多人开到冀州、广宗一带充当帮凶。官兵一过南宫，见人开枪，见村开炮，血洗村寨，三十多个村庄的几千名无辜百姓惨遭杀戮，数千名团民被杀。清兵进攻占领了景廷宾大元帅驻地件只村，景廷宾突出重围，转移到河南属地临漳县郭家小屯被捕，解往威县，后被凌迟处死。赵三多从件只南口突出重围，回到巨鹿姬家屯后被俘，押入南宫监牢。在南宫知县升堂提审时，赵三多昂首挺胸，慨愤陈词，骂不绝口，宁死不屈。在狱中绝食七天，于七月六日身亡，终年61岁。

赵三多死后，清政府仍不罢休，割下他的头来，先后悬挂南宫、广宗、威县三县县城示众威吓百姓。当赵三多的人头挂在威县西门上时，被他的徒弟赵三容（外号四老弯）等人冒险取回，与先期埋下的尸体合葬在一起。赵三多的墓地现仍在沙柳寨村北。义事厅照原貌修复，布展其生平事迹，供人瞻仰。

主要参考资料

1、赵安居（赵三多曾孙）收集保存资料。

2、《郭栋臣回记录》（郭栋臣其子郭荫桐笔录）。

3、威县地方志编纂委员会：《威县志》（方志出版社）。

4、路遥：《义和拳运动起源探索》（山东大学出版社）。

5、公孙訇：《义和团运动在河北》（河北人民出版社）。

6、陆景琪：《赵三多阎书勤》（《清代人物传》下编第一卷辽宁人民出版社）

7、黎仁凯等：《义和团运动·华北社会·直隶总督》（河北大学出版社）。

8、刘艺亭：《英勇不倒赵三多》（《刘艺亭作品集》第五卷，花山文艺出版社）。

9、顾自忠等：《赵三多和他领导的义和团运动》（威县人民政府印）。

10、顾自忠等：《赵三多和义和团运动》（威县人民政府印）。

11、李金鹏：《赵三多及义和拳运动散议》（《威县赵三多研究会通讯》第三期）。

12、李金鹏：《论拳变时期的义和拳斗争》（《威县赵三多研究会通讯》第三期）。

13、于沛、赵世瑜：《中国小百科全书》第3卷（团结出版社）。

附: 威县沙柳寨赵氏（赵三多一支）世系图

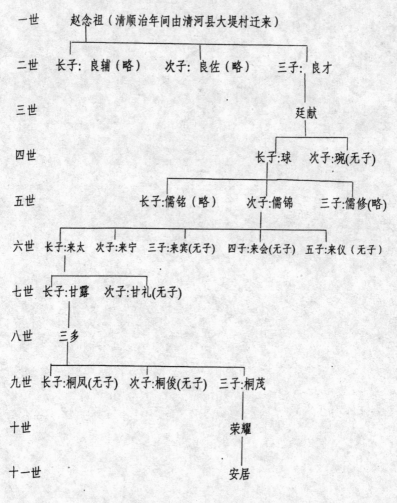

一世　　赵念祖（清顺治年间由清河县大堤村迁来）

二世　　长子：良辅（略）　　次子：良佐（略）　　三子：良才

三世　　　　　　　　　　　　　　　　　　　　　　廷献

四世　　　　　　　　　　　　　长子：球　　次子：琬(无子)

五世　　　　　　　长子：儒铭（略）　　次子：儒锦　　三子：儒修(略)

六世　　长子：来太　次子：来宁　三子：来宾(无子)　四子：来会(无子)　五子：来仪（无子）

七世　　长子：甘露　　次子：甘礼(无子)

八世　　　三多

九世　　长子：桐凤(无子)　　次子：桐俊(无子)　　三子：桐茂

十世　　　　　　　　　　　　　　　　　　　　　荣耀

十一世　　　　　　　　　　　　　　　　　　　　安居

（赵安居提供，黄成俊、潘明辉整理）

威县反洋教斗争碑刻史料选辑

潘明辉　　李金鹏

　　义和团运动被镇压下去之后，斗争的地火仍在奔突。《辛丑条约》签定后，北方广大农村便掀起了"反洋捐"、"抗洋差"的反帝爱国斗争。1902年，直隶南部爆发了景廷宾的"扫清灭洋"大起义。景廷宾起义后，其反洋教斗争主要集中在天主教势力雄厚的威县，这是"扫清灭洋"大起义的重要组成部分。

　　光绪二十八年（1902年），直隶南部各州县兵灾之后，"民生凋敝，庐井荒凉"，加之连年荒旱，人民苦不堪言，苛重的征差征赋之外，益之以按亩摊派的"洋差"、"洋捐"，致使"民不堪命，乃相约团练"，于是各州县皆"抗不承捐"。是年4月23日（三月十六日），广宗县武举景廷宾在巨鹿厦头寺举起了"扫清灭洋"的义旗，"登高一呼，群山响应。"远近的联庄会团勇、义和团余部和贫苦农民"一倡百应，不期而至者约三四万人。"起义军很快形成一支不下16万人的大军。厦头寺前树起两面大旗，旗书"扫清灭洋"、"官逼民反"。景廷宾被推为龙团大元帅，刘永清为副元帅、郝振邦（老慈和尚）为军师，赵三多、郑安治为主将。起义军在巨鹿厦头寺袭击了清军常备新军，杀死委员典史钱德葆、千总吕孝申、把总赵登贵、五品赵俊、附生刘炳勋以及新军50多人，鲍贵卿负伤逃走。消息传开，"都中颇形震动"。4月25日（三月十八日）起义军移军件只村。

　　4月26日（三月十九日），景廷宾起义军之永平（威县永平保）、广宗团勇在威县苏庄与刘庄之间截杀法国传教士罗泽溥及随从二人。起义军杀官军、诛教士，声威大震。天主教喉舌报《汇报》惊呼："匪势如此，不禁北望而殷忧"。罗泽溥，法国人，曾在比司加军营当过军医官，1884年4月3日加入耶稣会，1889年11月18日来中国传教。1898年，曾在威县赵庄指挥教民队伍与义和拳作战，颇受总本堂神父的赞赏。罗教士任威县北境张家庄的本堂神父，被杀前去开州给毕神父看病，归来途中在赵庄听说民团起事，形势紧张，他唯恐张家庄有失，便急忙坐车往回赶。车行至威县的苏庄与刘庄之间时，被起义军永平、广宗团勇拦截住。广宗楼斗寨人徐立庄等人先将车夫打死，随后将另外一名随从自车上拉下，用乱枪扎死。张老黑将神父拉下车来，赵连科、陈老练等人刀枪齐下，罗神父登时毙命。起义军将三人杀死后，将头砍落，骑马去件只报知景廷宾，罗神父之头在件只村悬杆示众。

教案发生后，苏庄、刘庄两村人恐受连累，便把罗泽溥教士与随从李和振的尸身拖到鱼堤村西北，所以才出现了《重修威县志》所载的"天主教士罗泽溥适鱼堤西北道遇景廷宾子并其党数人，亦遭残害"。稍后付梓的《广宗县志》亦因袭此说，以致以讹传讹。据《威县知县张问渠明府德政碑》记载，事件发生后，段祺瑞率兵将鱼堤村包围，"大兵云集，几有玉石俱焚之祸"，威县令张道源、绅耆申阁梅面见段祺瑞，"且以身作保，谓寨中必无景党"，段始罢兵离去。后直隶总督袁世凯赏申阁梅"深明大义"匾额，以示褒奖。

景廷宾在杀罗教士的第四天，即4月29日（三月二十二）挥师东进，攻打威县北境之张家庄教堂。张家庄是天主教在威县北境的重要据点。周围村民畏之如虎，故称之为"老虎张庄"。该庄周围筑有寨墙，寨外是一丈多宽的深沟，四门建有炮台，"教民各备有火枪"。起义军从4月29日到30日，日夜攻打，由于张家庄早有准备，教民队伍装备精良，且有寨墙寨沟，易守难攻，起义军死伤数百人，终未攻下。《重修张家庄保善寨碑》记载："于月二十二、三日，景匪带领数万匪党，将我村围攻，旗帐飘飘，炮响连天，杀声不断，凶险极矣。"足见当年战斗之激烈。

起义军在攻打寺庄教堂时，受到寺庄村以宋梗楠、刘廷钺为首的乡团抵抗，未能得手。寺庄村属"总胜保"，总胜保辖十个村庄，即：大寺庄、曲庄、南寺庄、北寺庄、田庄、郭田庄、天齐庙、陈贤塔、大张山、宏曲。宋梗楠为总胜保团总，刘廷钺为副团总。宋梗楠，字谦光，武生，弓马娴熟，为寺庄村武庠教习，曾培养了刘廷钺等弟子。刘廷钺，字含锷，甲戌科兵部观政进士。1898年，义和拳初起，二人率"总胜团"（总胜保团练）抵抗过义和拳，保全了寺庄教堂；1902年景廷宾这次起义，又把锋芒指向了寺庄教堂。同样遭到有力抗击。据在寺庄发现的刘公含锷公德碑记载："公与谦光同心协力，抗拳匪、拒景某，并走喻该团各村，示以大义，禁其盲从。寺庄教堂得以安然无恙。"大顺广道庞鸿书赏宋梗楠"辑静乡闾"匾额，并赏五品顶戴。寺庄村民给刘含锷树碑，以彰其德其碑尚存。

景廷宾起义军还于是年5月1日（三月二十四日）将威县寨教堂毁掉，并杀教士一人，教民三人。景廷宾的起义军还攻打了赵庄教堂，没有攻下。《汇报》载："近又围攻威县总堂告急，"即言此事。

起义军戕杀官兵、诛杀教士、攻打教堂，使广大群众欢欣鼓舞、扬眉吐气。反动统治者官方档案记载："各县商民竭力供应匪饷，景廷宾颇得人心。"

袁世凯上奏清廷，5月4日，上谕："著袁世凯迅即添派营队，将该匪首擒获，尽法惩治，并将余匪从速扑灭，务绝根株。"5月9日（四月初二），段祺瑞、倪嗣冲率武卫右军、张腾蛟督自强军攻破件只，景廷宾率领部分起义军冲出重围。袁世凯向清政府误报景廷宾"已为官兵所杀"。威县赵洛凤父子听到景廷宾牺牲的谣传后，义愤填膺，遂在李村一带，两三日间，集众约五六千人，称为景廷宾报仇，抓获南宫县教谕郑杰，同时率众四五千人围攻寺庄教堂，后被段祺瑞、倪嗣冲的武卫右军击溃。

景廷宾件只突围后，一面继续与清军战斗，一面派人传贴聚众，以图再起。景先转移至成安县，后不幸在河南省临漳县（今属河北省）郭家小屯被捕，旋解至成安县，不数日，解送威县。袁世凯在光绪二十八年六月二十二日奏折中说："批饬照谋逆例凌迟处死，传首犯事地方，悬杆示众。景绍文系景逆之子，陈敬、霍天庆代散传贴，同恶相济，均令就地正法。"7月28日（六月二十四），景廷宾在威县英勇就义。

轰轰烈烈的"扫清灭洋"起义虽然失败了，但直隶南部人民以自己的牺牲精神，表现了中华民族不可征服的"民气"，在中国近代革命史上写下了光辉的一页。

景廷宾的"扫清灭洋"起义是继1900年义和团运动之后，又一次旗帜鲜明、规模较大的反帝反封建的革命运动。它沉重打击了清朝封建统治和帝国主义列强在中国的侵略势力，客观上推动了中国旧民主主义革命的发展。广宗与义和拳（团）的发源地威县地区毗邻，无论是"团练"还是拳派都有着千丝万缕的联系，尤其是景廷宾起义的反洋教斗争大都集中在威县，因而历史上遗留下来较为丰富的文物，笔者近年在研究景廷宾起义中，采用区域性考察的方法，发现了一些珍贵的碑刻，较为详尽地记载了景廷宾起义的过程及事件，这些资料可"正史之讹、补史之缺"，弥足珍贵。今天我将这些碑刻资料辑录于后，供大家研究参考，虽然其中多属官府及教会的诽谤之词，但我们仍可借此对景廷宾反教斗争有一清晰了解，从中可看出这场农民战争的历史意义及其重大影响。由于编者学识有限，舛误之处定在不少，希望学术界专家和同志们不吝赐教。

刘含锷功德碑

自古德以政著惠因财称者往往不乏。吾威刘公讳廷钺字含锷，甲戌科兵部观政进士也。公自登科以后，并未出仕，无政可施；家仅中产，无财可诩。然其德惠及人□广□□。即政权已操，财累巨万者，未必能有其善举。光绪戊戌，拳匪倡乱，惨杀教士，为祸最烈，□至庚子，景廷宾继起，联络乡团，围攻教堂，贻害尤烈。寺庄奉教之家既多且久，当时，宋谦光先生为寺庄团团长，公即其习射高弟也。公与谦光同心协力，抗拳匪、拒景某，并走谕该团各村，示以大义，禁其盲从，寺庄教堂得以安然无恙。事后，与他团相较，一被诛连，一庆安康；一坠陷阱，一登衽席。未尝不叹其德惠之广且深也。公赋性肫笃，与人无争，有贫必济，遇急必周。与乡邻接，豆区釜钟悉示厚意，然皆出自诚心，并非解衣推食市名也。迄今□□□矣，其德惠在□，阖村感激，捐资树碑，嘱余以为序。余与公为忘年友，素敬其人，不敢以谫陋辞，因援笔而为序。

清宣统已酉科拔贡候选直隶
州州判通家弟董廷瀛撰文

137

重修张家庄保善寨碑文

碑阳录文：

重修张家庄保善寨，恐历年久远，未知创自何人，修自何时，款自何出，是以□原由□□□明，以施永远纪念弗忘云。

自光绪庚子年，拳匪倡乱之际，假为仇教，焚毁教堂房屋，杀害教士信友□□□□□被剿，将教堂房屋俱以金赔补，惟我村未受拳匪之难，是以阖村公议，创修土围一园，此项花费未按地亩□□□□□□短，暂借富家之资，于光绪二十八年壬寅，广宗县东兆村武举景廷宾，家居不□，抗公不遵上章，于正月下旬，往□□□□□□仍不遵法，即日开伙，将东兆围剿，而景匪脱网后，刘泗海助景造谣传贴，沟通十三县乱党，在蛇头寺蜂屯蚁聚，竖旗□□□新军，于三月十九日，罗教士由大名府回程，撞遇永平团勇，与教士为难，及从者二人俱蹈白刃而死，其苦甚矣。我村系教士罗君之本堂，而团匪量事万难处妥，因此先与我村为难。于月二十二、三日，景匪带领数万匪党，将我村围攻，旗帐飘飘、炮响连天、杀声不断、凶险极矣。我村男女老幼同心协力，昼夜在围固守，方得胜战。幸蒙主佑，一人未伤。乱党毙命数百矣。撇留军器，败回件只。董贺二军门带领马步练军数营住防我村护守，岑太尊电禀奉督袁公保谕，上宪诸位大人带领马、步、炮诸军四十余营剿拿景匪。于四月初二日围攻件只，将寨门破开，乱党又毙命两千有余，而景匪竟复脱逃。乱党屯聚未散，与诸军战征数镇，而匪毙命数千矣。是年六月，营务处伊在成安县擒获景匪，于二十四日在威邑将景匪及从者数人概正法。又剿各团为首。邻村因在团助景，自觉有愧，邀请中人说情，甘认罪与

138

我村，重修寨墙，各助寨资，保全身家，特奉上宪执法营务处伊统领、段道台、庞太尊、岑州尊、吴县令张诸大人与金总铎函禀主教马君会同商议，派出董事数员，设立保善局，收交从宽办理，调合民教相安，事已处妥，奉金总铎之命，重修寨墙，始画寨图太极之形，邀阖村人等会同公议，购买地基，长四百三十三丈六尺四寸，宽四丈五尺，周围共占地基三十四亩三分五厘。无论凸凹均按每亩价京钱肆拾吊文。于癸卯年春□□寨墙兴工，建立四门，派出监工数员，各分地段监管，协助经营，修之坚固。四月间，其工完竣，邻村恭贺牌匾旗伞数式，公颂大戏一台，庆贺新寨。与邻村和睦并无异□□□□后，下有余资，添买地二十五亩八分，将地外租，收回租价以需寨墙岁修之用□□□议，将寨墙地基树木各立条款章程□□□，均注明于碑阴。

直隶东南天□□务事总理法大□□金监督

保善□建修

清光绪贰拾玖年岁口次癸卯腊月中旬毂旦立

罗教士祠堂碑文

光绪庚子夏，燕蓟奸民假仇教之说，与欧美各国教世构难，奉教之华人受害者尤众。当事檄调诸军，且剿且抚，扰攘经年，始渐戡定。景廷宾者，广宗县武举，家居多不法，虎而冠者也。辛丑冬，假公事与邑令抗，令上其不法状。奉当事檄捕治之，索之急，仍假仇教为名，揭竿为乱，此壬寅正月下旬事也。时防汛诸军去广宗不二百里，金鼓声相闻，乱方作，兼程往剿，戮之于广宗之东召村讨平之，景逆固凶狡，事急，乘间兔脱，蜷伏草泽间，潜结乱党，意图再逞。诸军甫撤归伍，突于三月中旬，仓卒起事。威巨诸邑奸民纷起应之，愚民为所扇惑者更难数计，蜂屯蚁聚，不数日而逆焰大张。匪惟仇教，势且仇官，甚至募兵营弁与徒手应募新兵为所戕害者不下数十人。反状尽露，只托词于仇教耳。威县张家庄故有法国天主教堂，法教士罗君归自大名，与乱党适相值，遂为所害，傔从二人并歼焉。当事飞章入告，檄调骑步诸军，刻期进剿，乱党麇集于广宗之件只村。我军攻克之，草雉禽狝悉就扑灭。景逆溃围出，未几，亦就禽，置诸法。当事以景逆虽伏诛，而罗君以传教远人，遂罹惨祸，揆之地主之谊，殊觉歉然。且奉有"法国教士罗泽溥无辜被害，深堪悯恻，饬即妥为殡恤"之谕。檄余与献县总堂主教筹所以殡恤之者，余以死者不可复生计，惟妥其幽灵于义为当。张庄为罗君秉铎地，吾民奉其教者十居八九，议于张庄购地建祠，即于其地葬罗君，而以同难傔从二人附葬其旁，庶慰其生前劝人为善之心；且以示皈依其教者，晓然于国家怀柔远人，无所歧视。予昔权献篆与主教马君、总铎葛君故相善，两君不以余言为不然。悉如所议，复以鸠工之事相属。重违其意，乃上所议于大府，蒙颁白金五千两，克日兴工，祠既落成，葬事亦毕。马君自献县致书，以刻石之文请，乃志其缘起如右，俾后之览者有所考焉。

光绪二十九年立，知直隶冀州事保山吴寿撰

钦加同知衔赏戴花翎候补直隶州
兼理北洋营务处大　计卓异鸡泽县调
署威县知县张问渠明府德政碑

公清河氏也，印道源，字问渠，籍隶皖江，世有令德，为时名宦，其在丰润也，办案持平，政声卓著，迨莅斯土，适值宗邑景党之变，大兵云集，几有玉石俱焚之祸。厥时，公单车就道，不避权贵，力为排解，全活甚众，至景党已平，遇邑有哄花之事，盖威境以种棉花为大宗，贫民捡拾残桃，向在霜降，当盛开之际，有棍徒啸聚万人，入地哄抢。今年城北一带，险成巨祸。幸蒙公通知防营，遴派干役，弹压解散，示于立冬前三日开禁。绅等恐日久玩视，禀请照示勒石，以垂久远，公慨然曰："兴利除弊是吾任也。"爰即绅等禀商条款，刊示通知。询之农家，又有抢麦捡莠及纵畜食苗等弊，麦熟贫民捡拾遗麦并地主割收之麦，乘机哄抢。莠为乱苗之物，近在谷地，以捡莠之名，而实斫谷者十居八九，骡马驴牛猪羊近来放食青苗，致收成大为减色，种种恶风，并饬勒石以严禁之，碑成属余为记。余才谫陋，巨任难胜，奈辞之不获，率勒数语，用志实事，以彰我候爱民之德云尔。

按此碑在公署光绪二十
八年教谕宁远州李瀛撰

载《威县志》金石志下卷十九

142

义和拳研究史料编年

李 金 鹏 辑

（一）

乾隆元年至同治元年

（1736——1862）

清廷对教会态度和对义和拳的查禁

1736年（高宗乾隆元年）

5月2日

苏努子孙获赦，仍食宗室俸禄。巴多明、戴进贤等拟上奏折，求驰传教之禁，竟不得达。乃托郎世宁修士带至内廷。郎氏在作画时，跪帝前呈上奏折，哀求缓和教禁。帝谕曰："朕未尝阻难卿等之宗教，朕唯禁旗人信奉。"

1737年（乾隆二年）

冬，华籍教徒刘二被控"口念咒语，向弃婴之头灌水"，被定迷拐罪。刑部尚书张照等一面出示严禁奉教，一面奏请帝重申前谕，饬各省督抚查拿传教之人，并禁止人民奉教。巴多明、戴进贤又谋上书保教。郎世宁再度于帝驾到时跪地哭奏，帝曰："朕不禁天主教，尔等可自由信奉。朕唯不准本国人民学习耳。"郎氏再三哀求，帝取朱笔书曰："天主教非邪教可比，不必禁止。钦此。"

帝谕"天主教非邪教可比，不必禁止"之后，巴多明等将该旨与所上保教书刷印若干张，分散各处，但仅限于京师近畿，各省禁教如故，教友纷纷来京避难。

40余名原被放逐去澳门之教士复行改装潜入内地。

1746年7月（乾隆十一年六月）

福建省福安教案起，朝廷密令各省督抚查索教士。

【按】此后20余年间，外省方杀戮教士，拆毁教堂，通令教民背教，而北京神甫却能照常传教。

1757年（乾隆二十二年）

西洋人梅神甫从澳门由两名中国教徒引至北京后，在临清、威县等处传教。

解成：《河北省天主教历史编年》（635—1950）上册第102页

帝颁谕"闭关"，惟限广州一口通商，商人来华不准登岸，仅在船边售货或暂住广州十三行，有专门看管，西方教士难以进入内地。

1760年（乾隆二十五年）

法籍耶稣会士韩国英、方守义抵京，服务宫廷。时京中法籍会士仅有神甫3人，辅理会士2人。

1766年（乾隆三十一年）

3—4月（二月）

浙江宁波府鄞县吴家山地方居民吴有功等伙聚演练神拳，官府捕之急，吴等拒捕，自戕多命。

【按】据《义和团档案史料续编》记载：吴有功是向相近之藤溪岭石廷扬学的神拳，神拳供五公牌位（一说五公菩萨）。练拳时，"将香灰点在头上，闭了眼，绕走几回，就打起拳来了"。彼等颂《五公经》，旗书"六水赵保天兵扶黑四将"，自称李元霸、秦琼附身。

5—6月（四月）

浙江巡抚熊学鹏奏：臣等检查旧案，鄞县上年春月，曾有已故之任阿福，由台州府属之宁海县取香灰回家，供设天台名山拳师纸牌神位，陈以香烛，用灭抹额，作辑通诚，旋走数转，即能舞拳。有任芬、陆阿祥等共相戏舞，名为舞仙童。经鄞县知县张又泰查拿详究，并无符书咒语，亦无别项邪术诓骗情事。虽系戏舞，但属不经，将各犯分别拟以枷责，发落在案。继又据天台、宁海二县会详，查有陈亨载等戏舞仙童，亦由天台龙王庙内取用香灰，并无符书咒语，及别项邪术，不过偶为戏舞，将各犯分别拟以仗枷。并查得龙王庙即北山古庙，乃保空庙，无人住持，不便留为匪聚集之所，当将其庙拆毁亦在案。是香灰之来历得自天台，已无疑义。

臣等细查舞仙童，旧有此戏例，无应禁明条。而游荡好事之徒，将天台龙王高香灰借端附会，演为神拳，并非另有邪术。迨传至吴尔康得见，即将其家所藏符书牵凑，张大其说，以致吴卜元等肆为悖逆。其实吴乐康家所藏符书与舞仙童实系两事。其所谓五公神位者，闻说前代天台曾有五僧，以舞拳为事，奸徒遂称为舞拳祖师，亦不能指出确切姓名。其实天台并无另有庙宇也。

《义和团档案史料续编》下册第1831页

1774年（乾隆三十九年）

9月13日（八月初八日）

临清西厂崔大勇即许大勇随王五到张四孤庄王圣如家，磕头盟誓，并有韩进功教习咒语。

【按】据崔大勇供单载，韩进功所教咒语是："千手挡，万手遮，青龙白虎来护遮，只得禀圣中老爷得知，急、急、急，杀、杀、杀，五圣老母在此。"

《义和团档案史料续编》下册第1850页

10月11日（九月初七日）

寿张王伦起义军抵临清。

11月7日（十月初四日）

山东布政使国泰奏恩县邪教一案，言李翠曾从临清人李浩然为师，传受白莲教，改名义和拳。

【按】同折中言，金供：咒内所称翠县任上手，冠县肖上手，即是传授李浩然之人。据折："又律载：凡称白莲社等会煽惑愚民者，为首者绞斩候，为从者杖一百，流于三千里。"

《义和团档案史料续编》下册第1839页

11月23日（十月二十日）

署理山西巡抚印务、湖南巡抚巴延三奏："惟是此等奸民，俱由白莲邪教而起，又诡名义和拳，煽惑乡愚，扰害不法，实为可恶可恨。"

【按】巴延三此折所言"此等奸民"系指寿张县党家店人王伦为首的清水教起义军。

1778年12月—1779年1月（乾隆四十三年十一月）

山西壶关县人张九锡供出山东冠县地方有民人杨姓，聚集多人，立义和拳邪教，邀请村人每人出钱三、五百文教学邪拳之事。

《义和团档案史料续编》下册1855页，乾隆四十三年十一月二十九日山东巡抚国泰奏折。

【按】另据张九锡供称："山东冠县杨姓名叫杨四海，住在碗儿庄，离小滩也是二十五里。"

1779年（乾隆四十三年）

1月26日（十二月初九日）

上谕："杨四海之父既经学拳，其人必非安分之徒，或曾经招人学习，以致义和拳名色，亦未可定。伊子亦断无不随同学习之理。"

《义和团档案史料续编》下册1857页，《著国泰等严究杨四海案并详讯传九锡供词事上谕》

2月3日（十二月十七日）

据当日胡季堂奏折，张九锡供："我所控义和团邪教，因三十二、三年上我在元城、冠县一带做小买卖时，就听得传说，元城、冠县有人收徒教习拳棒，名义和拳。那时我没有在意，也不曾打听他们姓名。到三十九年十月间，我贩碱到元城县小滩地方马畹滋店内住歇，与马畹滋并他儿子及他侄孙马惟芳说闲话，提及义和拳的事。马惟芳等说，他们龙化庄有邻居童国林，向日教习拳棒，自从王伦事后，官府查拿教习拳棒的人甚紧，如今害怕也不敢收徒了。还说有翟贯一也住龙化庄，是童国林同学弟兄，也收徒弟。翟贯一的子侄俱各考试，现在请的是山东冠县武生杨姓教学弓箭。那杨姓武生的父亲名叫杨四海，也是拳棒教师，都是义和拳教内的人。他们收徒教习，每个给钱三五百文不等，所教的拳能百步打人。十一月里到冠县卖碱，闻得人说，果有杨四海住居垛儿庄，收徒教拳，如今把拳教也歇手了。……"

《义和团档案史料续编》（附编）第1860页

2月13日（十二月二十七日）

山东巡抚国泰奏折言杨四海供认曾向其父学习红拳，非义和拳名色。奏折中提及邱县人杨士曾，曾学打梅花拳，其师为杜科村李八十。

【按】据国泰上折言，"则杨玉堂（按即杨四海之三子）亦断非安分之人，应与曾经学拳之李凤德、杨士曾等三名俱仗一百，流三千里。"

2月20日（正月初五日）

据《胡季堂等奏为审明张九锡诬告义和拳教一案定拟事折》记载，经童国林、翟贯一与张九锡对质，复令张九锡与马栋、马淮芳质证，张九锡前所供言："义和拳邪教我原不能指实，所以呈子内并没写出。公蒙质讯，只行实供。""我因控告河南派累办料，恐其不准，多说几项重大事情，自然准理。"遂表示："今各人都在当面质对，我实不能诬赖他们。……我如今实在良心难昧，已悔恨无及。"

【按】由于张九锡忽易前供，使童国林、翟贯一化险为夷。

如张告属实，童、翟应照左道惑众律拟绞。结果张九锡反依诬告死罪未决律，仗一百、流三千里，加徒役三年。童国林、翟贯一照违制律，仗一百，枷号一个月，满日折责发落。

1782年（乾隆四十七年）

5月9日（三月二十七日）

直隶总督郑大进奏："拿获私盖天主教堂，聚众念经之宝坻县李天一、张全等，供系自幼随父入教，与同村之张化陇等私相崇奉。后因到京，与天主堂西洋人熟识，向其讨取《瞻礼单》，并买天主图像及经卷、乐器等物。每逢瞻礼日期，持斋诵经，并无别项敛钱不法情事。李天一应照'左道惑人为从'例，发边卫充军。张全、张化陇等应照违制律仗责。经、像、乐器等，概行销毁。下部知之。"

解成：《河北省天主教历史编年》（635—1950）上册

1783年（乾隆四十八年）

12月8日（十一月十一月）

上谕：本日福长安奏，有直隶南宫人魏玉凯喊禀。讯据供称在本县魏家庄居住。该庄有乡约李存仁及魏学宗、简七、王山、严龄等，与山东王伦，都是高口地方之李姓徒弟，从前原系白莲邪教，演习拳脚。四十六年后，又改为义和拳，各人俱藏有绳鞭。等语。

《义和团档案史料续编》下册第1868页《著刘峨即派员查访李存仁等有无演习义和拳事上谕》

12月17日（十一月二十四日）

直隶总督刘峨奏：今查明该村李存仁等并无演习拳脚、藏匿绳鞭等事。

同折中奏：惟案内有名之简七一犯，系简家庄人，获案讯供，因言语支离，恐有传习邪教情事，当即亲赴简七家内，搜出黄纸字迹抄写经文一本、本戳三个。讯据供称：十余年前，有赵

148

州宁晋高口村李成章传授拳脚，并给予木戳，黄纸经本，遂拜伊为师。今李成章已故，所传黄纸字迹现存家中，伊曾传授温大、温二、简永安拳脚。等语。

1784年（乾隆四十九年）

1月5日（十二月十三日）

奉上谕将简七著即处斩。

1785年（乾隆五十年）

上谕："西洋人传教惑众，最为人情风俗之害，……现在各省号称神甫者，即为授其官职无异，本应重治其罪，姑念愚民被惑，且利其财物资助，审明后，应拟发伊犁厄鲁特为奴；所有按引传教之人，亦应发往伊犁，给厄鲁为奴，以为惩儆。"

解成：《河北省天主教历史编年》上册第110页。

1786年（乾隆五十一年）

9月5日（闰七月十三日）

八卦教头目段文经、徐克展引同教五十余人进大名道署，杀道员熊恩绂及家人衙役九人，杀伤多名。并分卦大名、元城劫狱。大名监狱由于典史王学书抵抗，内监未动；元城监狱被打开。官府捕获人犯二十二名，段文经、徐克展在逃。

【按】后徐克展在颖州府城东被捕，段文经下落不明。

9月16日（闰七月二十四日）

直隶总督刘峨士《奏为讯明许三等入八卦会并戕官劫事折》，并呈抄获许三家内所藏字条暨许三口诵咒语。

字条录文：汉室孙祖玉楼阁，限他冲广遇天魔。水烟（淹）东鲁三千里，血染西秦八百坡。蛇头马尾容易过，猴头羊蹄可奈何？贤君若（问）真消息，火烧山西定干戈。

口诵咒语：一柱信香点上苍，拜上蒲州关大王。忠胆一清垂千古，玉泉山前立庙堂。清世千名镇上将，能知祸福与兴亡。四季开观三进礼，戮斩端静鬼神亡。

先世勒令关大王，可在违令遭贬，牒文随身带，法令常随身，请佛归本位，法令随牒文。

《军机处录副奏折》

12月26日（十一月初六日）

《刑部奏为研讯翟治元坚供并非离卦教头事折》所附翟治元、徐克展供单：

徐克展供：我前供说，段文经同我们四五十人闹事杀官，原怕人少不济事，段文经说，曾教刘勤给翟治元送信，叫他于十五日前来接应，及至天明，不见翟治元来。当初是段文经、刘勤对我说的。我并没有与翟治元见面。是实。

翟治元供：我实不知什么是离卦教头，但我自幼学拳，原是有的。今他们既说是段文经说我是离卦拳头，我此时也无以置辩，只求俟拿获段文经时，情愿与他当面质对。

1805年（嘉庆十年）

2月13日，帝面谕军机大臣着将三品顶戴德天赐（在清廷供职意大利籍教士）在圆明园提督衙门暂行看管。

【按】德天赐被究讯是因澳门华籍教徒陈若望赴京南返途经江西被捕，官府查出陈携带有一幅由海道至直隶注有汉字的地方地图和书信。此图是德天赐交彼寄送。

5月28日（四月三十日）

刑部奏称，德天赐供认：山东临清人简恒于去年（1804年）到堂，替德天赐到威县请人传教。同日上谕赦免"尚之悔过"之直隶威县天主教徒尹思敬等。

【按】从德天赐供词提供的情况看，清嘉庆十年，直隶威县天主教已有相当的基础。同日上谕："即情愿出教之民人王世宁、柯添福、尹思敬（按直隶威县人）、吴西满、汉军佟明、佟四、蔡勇通尚知悔过，应行省释。"

8月13日（六月十九日）

嘉庆帝谕，将奉教之旗人图钦等四人发往伊犁，以示惩儆。

【按】上谕："图钦、图敏着革去红带子。并于玉牒未除名，发往伊犁，枷号六个月，再行充当折磨差使。魁敏、窝什布亦坚称不愿出教，甘心受罪，着销除旗档，发往伊犁，枷号三个月，再充当折磨差使。图钦等四犯自外生成，情形背叛，俱不准释回。并着该将军不时稽查，严加管束。如该犯等或在配脱逃，及有别项滋事之处，即应恭请王命正法。"

1806年（嘉庆十一年）

直隶广平府威县人金世达（1790.9.15—1847.11.27）号逸云。先后到北京东堂遣使会小修道院就读拉丁文。5年后赴澳门，入圣若瑟修院，5年后，金氏先至北京南堂，奉毕学源主教之命赴江苏松江县一带传教。死后葬于江苏清浦县七宝镇遣使会墓地。

【按】毕学源主教在北京南堂由汤士选祝圣为南京主教，但仍驻北京，所以金世达以北京奉毕学源主教之命南下江苏青浦县传教。

1814年（嘉庆十九年）

教皇庇护七世颁谕恢复耶稣会。

1820年（嘉庆二十五年）

10月8日（九月二日）

帝崩，子旻宁即位，大赦天下，但不赦已服刑的天主教人士。

解成：《河北省天主教历史编年》上册

1834年（道光十四年）

6月14日（五月八日）

遣使会士法人孟振生（1870—1868年）至澳门，经与另一位同会士抽签，决定由孟氏去北京领导传教。

【按】次年6月，孟振生赴京，毕学源不准其进城，遂至栅栏正福寺（即墓堂），受到韩若瑟等欢迎。7月12日，到达西湾子村，两个月后，就任遣使会北京教区会长，并在西湾子村建大教堂，该堂实际上是北京北堂的异地重建，并起同样作用。

1845年（道光二十四年）

2月4日（十二月二十八日）

钦差大臣、两广总督耆英上奏："今据弗朗济（法兰西旧译）使臣喇善呢（即法国驻华公使拉萼尼Lagrene）请将中国习教为善之人免罪之处，似属可行，应请嗣后无论中外民人，凡有学习天主教并不滋事行非者，仰恳天恩，准予免罪。"

帝批："依议。钦此。"

1851年（道光三十年）

1月11日（十二月十日）

洪秀全在广西桂平县金田村起义，号称太平天国。

1856年（咸丰六年）

5月（四月）

罗马教廷式撤销北京教区，把它划分为直隶北部、直隶东南、直隶西南3个宗座代牧区。孟振生被任命为直隶北部宗座代牧并代理直隶西南宗座代牧；在上海的耶稣会士郎怀仁（1808—1878，字厚甫，法国人）被任命为直隶东南宗座代牧。当时威县教徒人数为直隶东南代牧区各县之首。

【按】直隶东南代牧区教徒数字为：

威县2328、献县1800、深州1715、任丘647、南宫625、交河393、饶阳295、冀州207、清河142、新河85、武强81、肃宁75、东光67、衡水65、枣强54、安平50、阜城45、曲周35、武邑22、永年16、磁州7、大名6

解成：《河北省天主教历史编年》上

1857年（咸丰七年）

4月1日（三月初七）

152

郎怀仁偕耶稣会直隶东南代牧区会长薛孔照（1814—1859）赴威县赵家庄天主教就任。

解成：《河北省天主教历史编年》上

【按】是年直隶东南代牧区概况为：广平府总铎区有堂口40处，教徒3600名；河间府总铎区有堂口处54处，教徒6600名。

是年

郎怀仁任主教后，在威县赵家庄建立第一所修道院，并从上海教区调来一批教士充实教会阵容，以培养教士，扩大教会势力。

献县天主教总堂存档信件原稿

1861年（咸丰十一年）

山东白莲教起义渡运河，"连陷邱县、曲周、清河等城，众号数万，近威城一带……半月间凡围城五次"，并先后占领距威县城仅二十里的赵家庄教堂四次。郎怀仁主教弃堂逃跑，后总堂迁至献县张庄。

《威县志》卷二十第6—7页

1862年（同治元年）

罗马教皇正式宣布中国直隶东南教区成立，"直隶东南辖有三府二州之地。令法国耶稣会来传，主教驻献县"。

《天主教传行中国考》

【按】三府二州之地即河间府、广平府、大名府、直隶州、冀州。威县属广平府所辖，广平府辖一州九县，一州为磁州；九县为永平、邯郸、成安、肥乡、曲周、威县、鸡泽、清河、广平。

（二）

同治八年至光绪二十四年九月十三日
（1869—1898年10月27日）

梨园屯教案至义和拳首义

1869年（同治八年）

山东省东昌府冠县梨园屯（今属河北威县）教民将分得村中公产玉皇庙地三亩余及破烂住房十余间献于意大利籍传教士梁多明名下修盖教堂。

《总署收法国公使李梅函》光绪十五年十一月初八日

【按】此事件违反了传教条款章程的规定，是为梨园屯教案起衅之由。

梨园屯今属河北威县所辖，明清时期是山东冠县"十八村"之一。冠县"十八村"（实为二十四村）是山东在直隶境内的"飞地"。

1871年（同治十年）

总署向各国驻华使臣提出传教条款。其中关于索还教产、购地建堂规定："嗣后教士不得任凭私意指请索还教堂，以免致衅。所有教中买地建堂或租赁公所，当与公正原业主在该管地方官呈报，查明于风水有无妨碍，即使地方官核准，尤必本地民人众口同声，无怨无恶，始可照同治四年定章注明契上系中国教民公共之产，不可委托他人买卖成交，更不得听信奸民蒙蔽，私自买卖成交。"

李刚己：《教务纪略》卷三《章程》

3月18日（正月二十八日）

直隶东南教区耶稣会长鄂尔璧移会曲周县知县庆式如，诉其3月1日在麦子乌营传教遭遇，请将当事人陈宗孟拘案惩办。

【按】据当时辛营村教徒周治安、周清文向天主堂的呈控所言，事起于陈家庄陈宗孟要看钟表，先生因不得闲答以少停片刻再看，陈大骂。后邀同监生陈宗燕、民人陈宗明、陈东亮、陈东明等与教徒打架，打伤多人。

1873年（同治十二年）

154

方济各会意籍传教士梁明德令教民在被拆的玉皇庙基上盖天主教堂，引起村民公愤。汉教以阎立业为首，教民以王贵令为首，互控到冠县。冠县令韩光鼎以同治八年所立地亩分单为依据，审断可以在庙基上盖天主堂。

　　《总署收法国公使李梅函》光绪十五年十一月初八

1879年（光绪五年）

　　罗马教皇将中国全境划分为天主教五大区，直隶、辽东、蒙古为第一区。

　　【按】直隶全境又分为北境、东南境、西南境三个传教区。北境教区辖保定、宣化、、顺天、天津等府州，总堂设北京西什库；东南境辖河间、广平、大名三府和深冀二州，总堂设献县张庄；西南境辖正定、顺德二府及赵州，总堂设正定。直隶东北之承德府东部属东蒙古教区，总堂设朝阳松树嘴子村。

　　（李杕《拳祸记》）

1881年（光绪七年）

2月7日（正月初七）

　　梨园屯举行玉皇庙会，乡民雇得彩船小戏等民间艺术队伍，沿街游行以示庆祝，游人将天主教堂大门挤开，与教民发生口角。天主教方济各会山东主教顾立爵以此为借口，怂恿法使出面干涉，逼迫总署行文山东巡抚处理庙堂问题。山东巡抚任道镕向法使指出，所奏各节"似与原案未符"。因为查诸当时办理此案，"本未定议断给该教士永远承管"。任氏审断，将原宅基归教民暂行使用，待另购地基设立教堂后再议归还原宅基地。

　　《山东巡抚张曜致总署咨文》光绪十六年四月（1890年5月22日）

1892年（光绪十八年）

4、5月间（三、四月）

　　威县沙柳寨一带的"梅花拳队"应冠县梨园屯"十八魁"之

邀，到梨园屯阻止建堂。

【按】阎书勤等十八魁感到仅恃本村力量势难阻止教会和官府相勾结的反动势力，遂到距梨园屯仅八里的梅花拳盛行之乡——直隶威县沙柳寨一带求援，以共同对付教会势力。据档案记载，在这次冲突中，教民因虑村民拦阻建堂，"遂以梅花队阻止、谋叛为词，向冠县投递信函《总署收山东巡抚张汝梅咨文》光绪二十四年十月初四日《教务档》第六辑（一）第279页）。"是为梅花拳投入十八魁反教会斗争之始。

1897年（光绪二十三年）

3月24日（二月二十二日）

赵三多接受阎书勤等十八魁之邀请，集直隶威县沙柳寨等处梅花拳众，赴梨园屯"亮拳"三天，周围二十余里拳民赶往参加者达三千余人，声势大震。

郭栋臣：《义和团之缘起》

4月27日（三月二十六日）

赵三多领导的义和拳民两千余人，执持刀械攻打梨园屯教堂，杀死教民二名，并拆毁教堂。

《教务档》第六辑（一）第192页《总署收法国公使吕班照会》（光绪二十三年六月二十七日）

【按】光绪二十三年十一月二十九日（1897年12月22日）总署咨张汝梅文："光绪二十三年六月二十七日，准法国吕署使照称：山东冠县属梨园屯地方，于本年三月二十六日，有匪二千余名，执持刀械，将该处教堂攻打，杀毙教民二名，受伤多名，捆缚三名，并拆毁教堂，抢掠该村教民房屋。除二家未抢外，约有二百教民一齐逃走。山东巡抚至今尚未设法补偿。请电令重办匪犯，给还教堂地方并所有物料，仍赔偿教堂亏累。等因。"

《总理各国事务衙门档》

4月（三月）

东昌府知府洪用舟奉命查办梨园屯教案，断令将玉皇庙基充公，另为洋人觅地建堂，缉拿案犯，并赔京钱二千吊。

《总署档》

【按】官府慑于拳民声势，作出一个基本上为民教双方所能接受的调解，将庙基判还村民，另为教民觅地建堂、赔偿损失，民教稍是相容。

11月（十月）

胶州湾事件发生，法国公使和主教乘机顿翻梨园屯教案前议，并婪索多款，教民以洋兵将来相威胁，使威冠交界地区曾一度平静下来的民教矛盾再度激化。

1898年（光绪二十四年）

1月23日（十二月十二日）

总署收裕禄咨文，以红桃园教案业经办结，唯直东交界拳民最多，动辄聚众，已饬府县晓谕乡团严防保护。

《总署档》

2月（正月）

威冠交界一带反洋教斗争之梅花拳、红拳改名义和拳，并聚众数千人再赴梨园屯集中，焚毁附近教堂。教会和官府大为惊恐。

【按】据四月威县令李正裕禀文："遵查本年二月，闻山东冠县梨园屯有义和拳民，前因与教民互争庙基，今奉山东抚宪饬县查办，勒令拆庙，拳民始欲聚众窥伺，以致谣言四起，各处传诎不一。"

《教务档》第六辑（一）第91页《总署收北洋大臣致王文韶咨文》（光绪二十四年四月十八日）

2月28日（二月初八日）

洪用舟带东昌府勇队赴梨园屯，将庙宇拆毁，并计诱阎书勤，将其击伤。阎受枪伤后，在群众保护下得脱。

《山东义和团案卷》

4月23日或24日晚上（闰三月初三或初四）

"十八魁"率三、四十人持长枪、大刀进攻广平府曲周县的麦子乌营（今属威县辖）堂口。撞破教民周清魁的家门，将周砍伤，抢走一些物品，并放火烧房。

《大名府广平府总本堂司铎范迪吉致主教函》，1898年5月5日

5月11日（闰三月二十一日）

御史高燮曾奏：梨园屯教案系教士强毁民间玉皇阁为教堂，地方官取媚洋人，办理不善所致，不应以违旨罪之。

【按】据军机处录副档载：御史高燮曾奏："山东冠县（指梨园屯）地方教士强毁民间玉皇阁归教堂，百姓不愿。当时知县劝导教士择地另建，教士听命，百姓欣然。后来地方官办理不善，取媚洋人，仍令以玉皇阁为教堂，遂致百姓聚众抗阻，大吏委兵弹压，暂得无事。是冠县百姓非不许其建立教堂，特不欲其强占公所，此而以违旨罪之，可乎？"

5月13日（闰三月二十三日）

献县天主堂大司铎葛光被在天津面见法国驻天津领事维西哀，介绍了梨园屯事件的经过，维西哀写信给直隶总督，要求向该省南部各地方官员拍发电报，勒令切实保障传教士及教徒们的安全，并负责赔偿所蒙受的损失。

献县张庄总堂存档信函原稿

5月17日（闰三月二十七日）

葛光被致函法国驻北京公使汇报冠县梨园屯事件。

【按】报告中云："由于事件发生在属于山东的梨园屯，直隶当局不能随意处置。为此，我们向公使团求助，使你们知道，由于梨园屯的难题未曾解决，而给我们带来了危险。"又云："已宣布对住在威县我们教区境内的一名首领（沙耳寨的赵老

158

祝）免予惩处，只要他手下人今后不再胡作非为。然而，官员们商定的这种长期按兵不动的作法，并不曾使地方上太平无事。"

"散居在15个村里的四五千名教友和该区的三名法国传教士时常惊恐不安。"

献县张庄总堂存档信函原稿

春

在东昌府洪用舟等官员的胁迫下，赵三多"即将梅拳解散"。

5月30日（四月十一日）

法使照会总署开列议结梨园屯教案四款：

一、查拿惩办十八魁（附有十八魁之人名单）；

二、赔银二万两；

三、撤换东昌府知府洪用舟；

四、以张上达替去吉灿升为济东泰武临道。

《总署档》

6月7日（四月十九日）

总署复法使照会称，梨园屯教案已办妥，洪守不遗余力，地方现已安静。

《总署档》

6月17日（四月二十九日）

总署收张汝梅文，查明直东交界之义民会即义和拳，已饬查禁。

《总署档》

【按】所谓"义民会"盖即指义和拳。6月17日张汝梅致总署函中引用东昌府知府洪用舟禀贴详述此事："至新立义民会名目，虽系传讹，亦属有因。盖梅花拳本名义和拳。直东交界各州县地处边疆，民强好武，平民多习为拳技，各保身家，守望相助，传习既众，流播遂远。……历年春二三月民间立有买卖会

159

场，习拳之辈亦每趁会期传单聚会，比较技勇，名日亮拳，乡间遂目为梅拳会。上年梨园屯民教构衅，牵涉梅拳。本年正二月间，谣言来有洋兵，梅拳遂又麇聚，以致远近惊惶，民教震恐。当经卑府传到拳首赵三多剀切开导，晓以利害，即将梅拳解散，并令毋再传单聚会，自罹法网。自是以后，各路拳民间或聚会亮拳，遂讳言梅拳，仍旧立义和名目。道路传闻异词，即因义和之民，讹为义民会。"

《教务教案档》第六辑，（一）第236页

6月30日（五月十二日）

张汝梅上奏朝廷，建议将"拳民列入诸乡团之内，听其自卫身家，守望相助"，并将义和拳正式称之为"义和团"。

【按】张汝梅奏折中引用有关州县报告称："直隶、山东交界各州县，人民多习拳勇，创立乡团。远年传讹，以义和为义民，遂指为新立之会。实则立于咸、同年间未有教堂以前，原为保卫身家，防御盗贼起见，并非故与洋人为难，现在完县境内民教相安，梨园屯教民眷属亦已回家安业，实无出具传单揭贴，约期闹教各情形。所云之传单，系起自直隶之沧州，三四月间，大名府城闻亦出具揭贴，然皆愚民与洋教嫌怨日深，故造讹言，籍以泄忿。其出传单出揭贴者，亦未能实指为此项拳民。惟直隶、山东交界之区，拳民年多一年，往往趁商贾墟市之场，约期聚会，比较拳勇，名曰亮拳，如与冠县北界毗连之南宫、曲周、清河、威县，凡有拳民之处，皆不免时有讹言。如任其自立私会，官不为理，不但外人有所借口，并恐日久别酿事端。……应请责成地方官，谕饬绅众，化私会为公举，改拳勇为民团，既顺舆情，亦易钤束，似与民教两有裨益。"据此，张汝梅提出"此次查办义民会，即义和团，名目不同，而情事则一。""谨当督饬地方官剀切劝谕，严密禁察，将拳民列诸乡团之内，所其自卫身家，守望相助，不准怀挟私忿，稍滋事端，以杜流弊，而消乱萌。"

《档案史料》上第14——16页

7月25日（五月二十七日）

总署收张汝梅文，洋务局与马天恩商结梨园屯教案条款：赔银一万两，奏请升复张上达原官职，严缉十八魁。

《总署档》

10月15日（九月初一）

朝廷向各将军督抚发布认真保护教堂教士的上谕。

【按】上谕："现在各省皆有教堂，教士往来亦所时有，地方官每多民教歧视，以致滋生事端。朝廷于此事不啻三令五申，乃近来各省因教起衅之案，仍复迭出，总由封疆大吏不能实力奉行所致，言之可恨。著各该将军督抚懔遵此次谕旨，务当严饬地方官，于教堂所在及教士往来之处，一体认真防护，不得稍涉疏懈。遇有民教交涉之案，必须持平迅速办结，以期中外日久相安。如再有防范不力，轻启衅端情事，定将该将军督抚及地方官一并从严惩处，决不宽贷。"

《上谕档》

10月（九月初）

广平府义和拳首姚洛奇因闻山东文武衙门出票要拿拳民，传帖聚众。

《总署档》

10月25日（九月十一日）

赵三多、阎书勤等聚集义和拳三千多人在蒋家庄（今属河北威县）村南马场地祭旗起义，旗书"助清灭洋"。

【按】关于起义时间问题，郭栋臣《义和团之缘起》载为阴历八月十八日，《伊索勒日记》则记为10月25日（九月十一日）。关于起义军的旗号，有两种说法。一种据当时在威县赵庄的传教士伊索勒日记记载，旗帜是镶有黑边的黄幡，上面写着

161

"顺清灭洋"的字样；另一种据郭栋臣《义和团之缘起》所记为"助清灭洋"。

10月27日（九月十三日）

山东冠县令曹倜为威县沙柳寨拳民与山东临清小芦飞虎防勇因至沙柳寨摭拿牛肉起衅事给署历城县知县朱锤琪发电，请禀告上宪。

【按】电文曰："朱鉴：顷探威县二门拳民，因临清小芦飞虎防勇至威县沙柳寨摭拿牛肉起衅，以赵三多前经倜劝谕安帖，不愿出头，该拳民聚（众）先烧赵三多房屋，逼胁同赴直东滋直。现由倜星驰往设法解散。乞先禀宪。冠县。倜。元。"

山东巡抚衙门批：复以：前经访闻该哨勇有滋事，已函告该镇换防驻扎。饬即赶紧解散，并查该勇系何哨之勇？哨官系何姓名？赶将滋事之勇查获惩办。

10月28日（九月十四日）

王寿朋电请张汝梅，言拳民又在冠威交界忽聚忽散，乞迅调拨军力保护教堂。

【按】电文：威县沙柳寨拳民聚众滋事，衅起威县，获一拳党。教士王德昌来请营，已专马禀陈。现探拳民又在冠威交界忽聚忽散，欲肆劫夺。乞如教士请，迅拔营保护。

《义和团档案史料续编》下第一四七片《山东巡抚衙门档》

（三）

光绪二十四年九月十四日至光绪二十六年

（1898年10月28日—1900年）

义和拳首义失败到大佛寺聚义前后

1898年（光绪二十四年）

162

10月28日（九月十日）

赵三多率拳民由直隶曲周县至山东临清之垄上固（今河北临西县留善固村），聚众四五百人，有马二三十匹。

《直东剿匪电存》卷一第5页

10月31日（九月十七日）

直东交界威县冠县群众踊跃参加义和拳，队伍进一步扩大，分扎两处。垄上固一股聚众有五六百人，住红桃园等处；杏叶村一股聚众三四百人，住曲周白果树、辛庄等。朝廷急电直隶总督裕禄和山东巡抚张汝梅加速镇压。

《直东剿匪电存》卷一第5页

11月3日（九月二十日）

冠县红桃园（山东冠县十八村之一，今属河北威县）教民向解散之拳民寻衅。姚洛奇复聚众七、八十人于黎明焚烧红桃园教堂及教民房屋。同时至威县第三口村再次烧教堂及教民房屋。

《直东剿匪电存》

11月4日（九月二十一日）

赵三多、姚洛奇等拳民在威县侯村与魏村之间与冠县、威县营役发生战斗，清军将姚洛奇等十六人擒获，拳民四人阵亡，姚洛奇被解往冠县，赵三多得脱。

《大名道万培因电》光绪二十四年九月二十七日巳刻到

是日，赵三多率余众转移到临清城西留善固村，劝散拳民，自己带部分骨干沿运河北上，传播火种。

《山东义和团调查资料选编》第335页。

11月19日（十月六日）

清廷令山东巡抚张汝梅"加意弹压"直东边境之拳民。

【按】电旨略称："直东边境拳民，时与教民为难，隐患甚巨。兹据裕禄电称，广平拳民姚洛奇于冠县、威县一带勾匪闹教，业经拿获审办，该党结会众多，一旦借端滋事，势将不可遏抑。着张汝梅密饬地方文武加力弹压,随时防范,以弭衅端。"

《义和团档案史料》上册第19页

11月17日(十月四日)

总署收张汝梅文,以梨园屯教案办有端倪,梅拳解散,庙基归教堂,并筹银一万两交付马主教,请照会法使结案。

《总署档》

11月18日(十月初五)

直隶总督裕禄电总署,威县拳民已解散,刻下尚称安谧。

《直东剿匪电存》

11月19日(十月六日)

法使照会总署,以红桃园等处屡有教案,应将吉灿升、洪用舟、曹倜三人撤换,调张上达任道员,将各案办结。

《总署档》

12月(十一月)

枣强县义和团起事,名为"五祖神拳",树旗"助清灭洋"。直隶总督裕禄严饬枣强知县凌道增缉拿该县匪道王庆一。

《义和团档案史料》上册第69页。

1899年(光绪二十五年)

3—5月(二三月间)

赵三多在枣强、沧州、武邑、晋州、正定一带设场传拳,聚集拳众力量,以图再起。

《山东义和团调查资料选编》第330页

5月7日(四月八日)

赵三多在正定大佛寺以给佛爷烧香为名,与各路义和团首领秘密集会,议定联络静海、青县、东光一带之秘密结社"铁布衫"共图举事,在这次会上,将义和拳改名叫"神助义和拳"。

《山东义和团调查资料选编》第335—336页

6—7月间(五六月间)

直隶成安县佃农刘胜先于林里堡组织大刀会，率众四五十人焚毁艾束教堂，六月十九日（7月26日）刘胜先率众三十余人将"左袒教民"之庠生韩儆押送县衙，令县令治罪，刘胜先为人所害。

《成安县志》

夏秋间

义和拳在与山东交界的直隶各州县活动频繁，直督裕禄二十六年三月奏折云："自上年夏秋以来，山东边界时有拳匪滋事之案。直隶河间、深、冀等属与山东毗连之处亦渐被匪徒诱惑，习拳滋事。"

《义和团档案史料》上第69页

【按】柴萼《庚辛纪事》云："东省义和拳，自直隶、故城、清河、威县、曲周等处之匪渐渐南下，流入（山东）东昌之冠县，自冠县及于东昌各属，再自东昌、曹州、济宁、兖州、沂州、济南等处潜滋暗长，至乙亥夏秋间，而以直隶为老巢。"

9—10月（八月）

山东恩县、平原一带有拳民活动，官兵于平原、恩县交界之处添募勇队，亦分辖域，严密巡缉。

【按】《恩县会禀》（光绪二十五年八月二十五到）载："讵于八月初间，该匪传习邪术，妄称吃符念咒，请神附体，可避枪炮。煽惑勾结，在平原一带寻衅滋事，到处蔓延，随声附和，日见其多。"

《山东义和团案卷》上册第4页。

10月6日（九月二日）

山东平原县令蒋楷上报袁世凯的山东巡抚衙门的文中，言马天恩主教所指拳会一节，系外来拳师所传。

【按】《平原县禀》中说："其所指拳会一节，前因外来拳师，在境内夸炫技勇，乡民年少无知，为之欣动，约集人众，学习拳棒，其意亦为自相保卫。"

　　　　　《山东义和团案卷》上册第7页。

11月（十月）

　　直隶正定府属各县义和拳发展迅速。

　　【按】据《拳祸记》载：是月，正定府饶阳县"尹姓拳匪到晋州之棚头村设坛授徒，中立村石吕魁为大师兄，石双亭、石小盘、刘复生为二、三师兄。初惟二十四人学习拳术，旋即分立拳场于吕家庄，与府东深泽之小镇、贾河等处。同时有深州曹姓拳首，到府东南宁晋之孟家庄教拳，不数日即传布于邻村，游手好闲之徒，群相趋附，势颇昌盛。"

　　　　　《拳祸记》（下）第160—161页

11月11日（十月九日）

　　吴桥县令劳乃宣刊发《义和拳教门源流考》，力言义和拳系"邪教"，并出示严加查禁。

　　【按】据劳乃宣《自订年谱》云："义和拳教门者，白莲教之支流也，其源于八卦教中之离卦教，嘉庆间惩禁有案。"是为对义和拳"主剿"之理论根据。

　　　　　《义和团档案史料》上第416页

11月16日（十月十四日）

　　直隶献县义和拳四五百人于东大过村与教民发生武装冲突。

　　　　　《丛编》第二辑

12月9日（十一月七日）

　　直隶吴桥县令劳乃宣继刊发《义和拳教门源流考》之后，又酌拟查办义和拳教案变通办法六条。

　　【按】据劳乃宣《拳案杂存》，其所陈"惩办拳匪"六条略为：一、"正名以解众惑"。二、"宥过以安民心"。三、"诛首恶以绝根株"。四、"厚兵威以资震慑"。五、"明辩是非以息谣言"。六、"分别内外以免牵制"。

166

《义和团》四第467—472页

12月10日（十一月八日）

因直隶深、冀各州义和拳会活动频繁，总署应英美使臣要求，电裕禄，"将各洋人实力保护"。

梅东益率队抵达景州，因所部三营不敷应用，电请裕禄饬天津镇总兵罗光荣自派马队一营，步队两营。

《丛编》第二辑第55页

12月14日（十一月十二日）

因直隶河间、深、冀属义和拳声势日盛，裕禄命直隶巡防营务处总理张莲芬赶赴深景，会同梅东益率兵镇压，并命直隶提督、武卫前军统领聂士成拨马队二营前往会剿。

12月15日（十一月十三日）

直督裕禄上奏清廷，义和拳渐及直隶，在直东交界处活动频繁。

因直隶冀州武邑义和拳砸毁深州西河头、王乐寺两处教堂，深州知州朱璋达前往王乐寺与拳民首领孙凤歧谈判。

《义和团史料》上第422页

【按】朱璋达致献县天主堂主教函叙谈判情形称："至十三辰刻，拳匪六七百人半持刀枪，刀俱徒手，见弟不跪，亦不去刀，目瞪眉竖，似有疯疾。弟先查以煽惑引诱，砸毁教堂，并将各处传教士均系劝人为善，迭奉上谕，一体保护，不准匪徒借端各节详细开导，连劝带吓，自辰至未，几乎舌酸唇焦。该匪孙凤歧一味哓哓，狂悖不堪。"

《献县天主堂资料》

12月16日（十一月十四日）

景州、吴桥、东光、故城、阜城五州县官吏和入教绅董，因义和拳"人数众多，蔓延广远，声势浩大，骄悍难训，非厚结兵不能镇服"，联衔请求"拨派重兵"，"以资得力"，并要求贵州提督梅东益将劳乃宣所禀六条迅饬批准奏办，"非特卑职等之幸，实各州县亿兆生命之幸也。"

《义和团》四第437—474页

献县西乡义和拳围攻东大过教堂，与教民发生武装冲突，拳民五人被杀，清军闻讯赶往弹压，将拳民强行驱散。四天后，义和拳再攻献县东大过教堂，仍为清兵驱散。武强县范镇集义和拳民二三千人欲往献县各教堂报仇。

《丛编》第二辑第66页

12月19日（十一月十七日）

历城县禀报山东巡抚衙门，言是年春间，"茌平等县民人因教民欺压平民，众情不服，遂多学习神拳，希图抵制洋教"。

《山东义和团案卷》上册第8页

12月25日（十一月二十三日）

因直隶保定府一带义和拳活动频繁，应法国总领事要求，裕禄电令督标中军副将张士翰派兵"弹压保护"。张士翰复电称因兵力"空虚"，只能抽调马兵三十名"前往束鹿一带驻扎"。

《丛编》第二辑第69页

12月31日（十一月二十九日）

《平原县禀》言马天恩主教函称之平原县境近日又有刀会聚众滋扰情事，想系传闻失实。

【按】据《平原县禀》向山东巡抚衙门报告，"卑县拳民，勾结外匪朱红灯等抢扰教民。经本府下县查办以后，迄今地方尚属安谧，并无聚众滋扰情事"。

12月（十一月）

景州一带大刀会入献县境内，旗书"扶清灭洋"四字。

1900年（光绪二十五年）

1月2日（十二月二日）

武修和尚从景州监狱提出押赴刑场。临刑前他"慷慨高歌",视死如归,表现出顽强的斗争精神。

【按】(法)任德芬《义和拳在直隶东南》:"唔修从监狱中被提出押赴刑场处斩,在死前唔修高歌。官兵搬运尸首,并奉统领命将两个头先挂在城墙上,后转刘八庄示众多日,为的是惊戒义和拳;另一方面也是为了粉碎武修"头不可砍"的谣言。没等多久,他的头就摆在其徒弟面前了。"

《义和拳运动起源探索》第262页

1月(十二月)上旬

阎书勤、王玉振以邱县常屯(今属河北威县)为据点,四处抗官兵、打洋教。捉获冠县带队曹中明、马勇张金得,又将常屯教民许法兴家房屋放火烧毁,捉掳许法兴。

《山东义和团案卷》上第458页

1月5日(十二月五日)

直隶正定府宁晋县孟家庄义和拳与教民发生冲突。正定镇总兵董履高率军前往围剿,杀死拳民十三人。晋州知州刘璠、获鹿县令谢鉴礼,率勇将该两地拳场分别"捣毁"。

《拳祸记》下第161页

1月6日(十二月六日)

阎书勤和威县义和拳首领王玉振率二百余人到直东交界的邱县常屯,欲攻打梨园屯重新起事。袁世凯令副将马金叙率队赶往弹压。

《筹笔偶存》

1月9日(十二月九日)

阎书勤下令各村义和拳到常家屯集合。

【按】冠县知县程方德闻讯后即上禀东昌府,副将马金叙亦上禀山东巡抚,均声称"威县、曲周等附近各庄,现有逸匪阎书勤等啸聚数百人,欲至梨园屯,意图报复","并传闻该匪现约

169

东路匪人千余名，尚未到齐"。

《山东义和团案卷》上册第138页《马副将金叙禀》光绪
二十五年十二月十二日到。

直隶总督裕禄致电袁世凯，请直东两省"合力捕辑"义和拳
会。

【按】电文云："现在义和拳匪延蔓于直东交界各属，首要
各匪，此拿彼窜，何处兵少，即在何处滋事。若不亟筹两省合办
之法，恐根株一时难尽，致蹈兵至则散，兵去复聚之之弊。似宜
两省合力捕缉，请尊处专派营员，统兵在直东交界一带，与直隶
所派文武各营员，不分畛域，会商协力拿办，以期早日安静。"

《丛编》第二辑第73页

1月10日（十二月十日）

山东巡抚袁世凯电复裕禄，力主对义和拳应"惩办匪首，以
清祸源"。

《丛编》第二辑第73页

【按】复电称："东有拳匪，自三月滋扰至今，焚掠计数百
家，教堂十余处，将来善后甚难。而言者捕风捉影，无奇不有，
稍有顾忌，即无从措手。惩办匪首，以清祸源，实为扼要办法。
可否请将实在情形，详细上闻，以杜浮议？"

关于两省会办事，袁称德州一带已派山东督粮尚其亨，东昌
各属派济东泰武临道吉灿升与直隶梅东益、张连芬等"会商缉
办"。

1月11日（十二月十一日）

阎书勤率义和团民进攻梨园屯，将及至，与官军接仗。团民
王十将前获之冠县马勇张金得牵至阵前，用刀砍伤，被官兵夺
回。在激战中，团民被官兵炮火轰死六七人，团民遂退，败走干
集。官军追至，将前获之冠县带队曹中明夺回。后团民乘夜幕败

走王世公鳊堤上，将掳来之教民许法兴杀死，弃尸堤上，遂转移至清河一带。

《山东义和团案卷》上山第458页《冠县会禀》光绪二十六年十月二十三日

1月21日（十二月二十一日）

阁书勤率义和拳转赴直隶清河县境，直督裕禄惊呼"匪徒蔓延，所有清河、威、曲等处地方，均属吃紧。"

《丛编》第二辑第78页

3月3日

东昌府王蕊修行抵冠县，梨园屯教长王金铃面禀，言阁书勤与王玉振将邀卫河两岸拳众来梨园屯报复。

【按】《东昌府禀》（二十六年二月二十一日）载："据教长王金铃面禀，以逸匪阁书勤近与威县匪道王玉振，又有邀集卫河两岸拳匪前来报仇之说。该屯与直境村庄紧接，尚为义和拳渊薮，一旦无勇巡防，黑夜尤为可虑等语。"

3月13日（二月十三日）

据《武城县禀》（二十六年二月十七日到）载：王玉振的义和团在武城杨庄与清军武卫右军，东字正军的马队激战，义和团"开炮轰击，抗拒官兵"，复遭临清州之东字前营，驻武城之东字后营夹击，义军失败，王玉振壮烈牺牲。

【按】据《武城县禀》载："近因在逃匪首和尚徐福同现已枪毙之王玉振，有与清河县境不记何庄为仇，欲往报复。"

5月2日（四月四日）

赵三多在直隶枣强卷子镇发动第二次起义，领导拳民一面进行反教会活动，一面对富户进行均粮斗争。

【按】据《威县志》载："二十六年，拳民复起，蔓延京、津间，卒祸及大局。""是时，岁大无，贫民无以聊生，争符合拳民，名为均粮，实则仇教（《威县志》卷二十第九页）。"

5月28日（五月初一）

　　冠县令程方德去直东交界一带巡辑，梨园屯团长左建勋等面见官，禀请调拨东字正军前营左右两哨前来驻扎保护。

　　【按】据《冠县禀》（二十六年五月十五日）载：左建勋称："今闻防营奉调撤防，深恐地方空虚，匪徒乘隙窥伺，患生不测，恳请禀留缓调等情前来。"

7月9日（六月十三日）

　　赵三多率义和拳民攻打临清小芦教堂。驻扎在此地的清军防勇放弃了战斗，以保护传教士为名开往济南。

　　【按】临清小芦教堂在光绪十年（1884年）左右就已建立，它是天主教方济各会山东代牧区的一个重要堂口，管辖冠县十八村、临清简庄（今属临西）、邱县成家庄和馆陶郭庄。小时小芦村有教民100多户，483人，占全村的60%。

　　　　　　　　《义和拳运动起源探索》第147页

7月15日（六月十九日）

　　义和团二千人携大炮围攻景州朱家河教堂，三日不下。恰值江西按察使陈泽霖率勤王兵途经景州，景州牧龚寿彭请陈派兵助攻。三日后，团民联合官兵攻破朱家河教堂，杀死教士、教民多人。

　　　　　　　　《义和团运动史事要录》第300页

7月16日（六月二十日）

　　阎书勤指挥义和拳攻打武城十二里庄教堂。此役虽失败，但阎的队伍不断扩大，在直东交界一带颇具声势。

　　【按】本次拳民队伍中的骨干人物宋狮子（号赤子）、任王氏都是活动于直东交界一带的拳民领袖。《夏津县志》记载："光绪二十六年义和拳肇乱，以仇教为名，民不聊生。是年秋，有妖妇某氏趁拳匪之乱，假托神送，煽惑愚民，信从者众，争相迎拜，群呼之神妈妈。"传说她能变幻，神秘莫测，阎书勤对她

172

极为尊敬。

7月18日（六月二十二日）

赵三多领导义和拳于7月18日、20日、22日三次攻打了魏村教堂。三次均未攻下。

【按】在这次战斗中，张家屯（今威县大宁村）拳民是主力，由该村拳首张汉、张三余领着去的，河东的义和拳由宋赤子领头也来此集合。

在最后一次攻打魏村教堂前的7月21日（六月二十五日）义和拳焚毁了钟管营和马家庄堂口。是日，王亚纳等十名天主教徒在大宁村西被宋师子等人杀死。攻魏村失利后，赵三多退回冠县十八村与威县沙柳寨一带。

8月12日（七月十八日）

义和拳首领宋狮子率团众至曲周县活动。

8月17日（七月二十三日）

官兵偷袭梨园屯，阎书勤被俘。义和团众突围至干集，被洪用舟伏兵截杀，团民多人被俘。

《山东义和团案卷》上册第375页《东昌府禀》二十六年八月初二（1900年8月26日）

【按】《东昌府禀》（二十六年八月十三日）：二十二日："卑府稔知匪首阎书勤等自武城十二里庄被官兵击败，即纠夏津匪首郝洛有、任寡妇、博平匪首孟兆连、杨付桂等各股合伙。又有直匪宋狮子、刘化龙、附近十八村之堑子孟洛珠，各徒众互相联络。"

"并据十八村团长潘光美等具奏，阎、宋各匪扰害闾阎，势甚凶横，并威迫各村不准团练。令首事张除庆间道来迎，请兵剿办。"

8月19日、20日、21日（七月二十五、六、七日）

阎书勤和二十九名义和团首领，在临清老山头英勇就义。

【按】据袁世凯在《东昌府禀》（光绪二十六年八月初二）文批示："据禀已悉。该参将会同洪守、程令等在梨园屯等处，生擒积年漏网匪首阎书勤等二十九名照章就地正法，其余被胁各犯分别保释发县讯办，并获枪炮等件。办理甚属妥善。"

9月8日（八月十五日）

赵三多的徒弟王连城、石洛连（元城人）带领六七十名义和团众欲向邑中富户借粮，在桃寨东之玉皇庙与桃寨团勇遭遇。邱县官兵复至，王连城、石洛连等被俘。

【按】据《邱县禀》（二十六年八月二十六日到）"提讯王连城、石洛连供直隶元城县人，向充营勇，因犯令逃回，与吕三、吕孬小子、韩光久、李洛上并已被格毙之王大头，投入义和拳赵三多下学拳。"

9月末（闰八月初）

十八魁之高小麻（即高元祥）、项得胜等，因教民寻仇，在梨园屯传帖聚人，后项得胜战死，高被冠县官兵抓住，壮烈牺牲。

《山东义和团案卷》上第449、462页

10月2日（闰八月九日）

慈禧一行自徐沟县启程，晚宿祁县县城。

索尔兹伯理接见中国驻英公使罗丰禄，表示对朝廷发布的惩办主要犯罪官员之上谕"感到满意"。（《蓝皮书》326页）

李廷箫派候补知县泽宣赴潞城解散拳民，保卫教堂。

【按】泽宣带去告示文曰："潞城教民，非甘背叛，假冒拳民，行为不善……拳民再扰，立拿解堪。"

《拳祸记》下册第15页

10月11日（闰八月十八日）

义和拳民白五、杜一山、刘步岭、张学功、史及善（红桃园人）、朱十、白付元、贾得中、白腊月、赵裕兰等，探明红桃园

174

教民等在红桃园李姓房屋占据，遂同前往将教民孙明山等十六名杀毙。

《山东义和团案卷》上册第457页《冠县会禀》二十六年十月二十三日

【按】据《冠县会禀》载："查该犯刘步岭即刘三（常屯人）、张学功即张二（广宗县人）二犯，验明各正身，绑赴市曹正法，将首级传赴犯事地方悬杆示众。史及善业已因伤身死，应毋庸议。"

11月2日（九月十一日）

袁世凯令山东各府州县没收拳民财产，变价充公，作抚恤教民之用。

11月3日（九月十二日）

夏津县令带官兵偷袭该县张堤村，阎书棟和神拳首领任王氏被俘，何洛有（任之义子）、刘法牺牲。

【按】据《夏津县禀》（二十六年十月初六日到）载："旋据密禀，张堤著名首要何洛有即何士训现已回归，潜勾外匪阎书棟等并女犯任王氏，在家藏匿，各处传贴，意图滋事。并探知柳庄李自钊家有学习神拳情事。"

【按】上文所提之阎书棟即梨园屯十八魁之阎书俭（大刀阎书勤之弟）。

梨园屯突围后，阎书简化名庞菁春，在东昌府茌平一等继续斗争。从官方档案中知阎被俘时从其身上搜出蓝布肚兜一个，内有黄绫、朱符一张。另外，被俘之人王氏自言系湖南凤凰厅人，年五十五岁，前往天津探亲，因船遭风浪被淹，经救得生。行至东昌、茌平一带，传习神拳，何洛有认伊为义母。

《山东义和团案卷》下册第811页

11月7日（九月二十六日）

赵三多所率义和团，于直隶威县侯村、魏村遭袁世凯所派重兵包围，死伤惨重。赵突围后隐蔽于直隶广宗、巨鹿一带。

（四）

光绪二十六年至二十八年

（1901年—1902年）

景廷宾抗捐、厦头寺起义

1901年（清光绪二十六年）

2月14日（十二月二十六日）

清廷发布上谕，强调"固邦交、保疆土"，表示将"量中华之物力，结与国之欢心"。

《档案史料》下第945页

春

直隶新河人民，因教案赔款纳额巨大，全县誓不承认，新河团练在焦崇德等人带领下进行了反对赔款斗争。

傅振伦修《新河县志》第一册《大事记》第25—26页

直隶广宗县知县王宇钧和广宗洋教士私自议定地方教案赔款"京线两万串（合制线一万串，纹银万两有奇）。强令各村按地亩摊捐，每亩40文，民皆视为洋捐，众怨沸腾。"

《广宗县志》卷一《大事记》

4月（二—三月）

原在冀中一带活动之义和团，自上年冬退出直隶后，于本月间重返故地，推祁子刚为首，转战雄县、新城、固安一带，并打出"反清灭洋"旗号。

刘汝霖：《辛丑条约后冀中义和团继续斗争的史实》，1951年8月31日《进步日报》

4—5月（三月）

176

直隶京官王振声（在工部任职）代表直隶直官五十余人联名呈请乞恩筹偿畿辅教案赔款疏。疏中说："自天津失陷，直犯京师，焚烧之惨，通州良乡被祸尤烈，近畿一带州县到处骚然。败兵之劫杀，土匪之焚掠，洋兵之搜括，教士之逼勒，遂使万民流离，十室九空。"正文是直隶各府州县教案赔款册，载明赔款之州县九十，赔款总额共四百余万两。

　　【按】王振声在是疏中说："各国洋教士索赔多款，藉口毁教堂、杀教民，皆责罚于民间，每州县或数万或十万之多；且均限当时立办，不容延缓。……即无事之秋，已难筹集巨款，况浩劫奇灾惊魂甫定，更何从出此巨万金钱。"王振声虑及"倘激成变故，又起兵端，三辅嚣然，则后患滋大"。足见其有一定政治远见。

　　附：顺德府属赔款数额：

　　邢台县：天主教案赔银一万四千两，制钱三千六百二十九吊（就地筹）。

　　沙河县：天主教案赔银一百两、大钱六千串（就地筹）。

　　平乡县：教案赔制钱一千九百五十吊（就地筹）。

　　巨鹿县：天主教案赔大钱九千吊（就地筹）。

　　任　县：教案赔制钱四千六百十五吊（就地筹）。

　　南和县：天主教案赔制钱二千二百吊（就地筹）。

　　广宗县：天主教案赔制钱一万吊（就地筹）。

　　尧山县：天主教案赔制钱一千一百三十四吊（就地筹）。

　　内邱县：天主教案赔制钱四百六十三吊（就地筹）。

　　广平府属

　　永年县：天主教案赔京钱二万六千五百吊（就地筹）。

　　鸡泽县：教案赔京钱五千一百八十七吊（就地筹）。

　　邯郸县：天主教案赔京钱十六万吊（就地筹）。

　　威　县：天主教案赔京钱十六万吊（就地筹）。

清河县：教案赔京钱三十一万吊（就地筹）。

6月15日（四月二十九日）

直隶深州群众因无力负担赔恤教堂款项，组织联庄会，举"扫清灭洋"旗，"抗不承捐"，遭官军镇压。

【按】储仁逊《闻见录》本日记："深州武举田燮经在该州所属地方，倡立连（联）庄会，约有七、八十村庄，又有武卫军溃勇及匪徒（指义和团）等混迹其中，现共约二万余人，又与安平连（联）庄会勾结，其器械旗帜甚伙，旗上书"扫清灭洋"字样，比去夏拳匪尤为猖獗，业经驻兵迭次剿办而匪力穷溃散（手搞本，原件藏天津人民图书馆）。"据《汇报》及军机处档案所载，则称参加该处联庄者达"二十余万人（《义和团档案史料》下第1230页）"。"兴汉"口号，并号召于端午节举义。揭贴内容为："即速报须弥山中得道多人，每人能发万体，每身能敌万军。尽能飞身，隐形变化，五遁俱全，予知未来，概不惧秒。今奉上帝令'灭清剿洋兴汉'。行事多人协议，定今端午日戌时，天下各处共起征伐，临时忽然起火为准。凡欲投者，在起火时各报（执）军器，将发剪短，只留寸长，勿抱（包）帕戴帽，以光头现短发为记。"

《义和团档案史料》下第884页

6月26日（五月十一日）

御史吴煦上奏"为民力困竭，颙恳变通赔款，以保残黎而息乱萌"折。

【按】奏折略云："窃维图治之本首重植民，民不聊生，则新政何以兴，变民何以安？况畿辅之间，关系尤重。……闻直隶各州县赔恤各款，均责诸民间摊还。夫使果为拳匪，而责其罄家以免死，亦何不可！即或按户摊派，而民力能支，犹可言也。今则脂膏已尽，朘削及骨。论者但知拳匪之当严惩，而不知良民之不可概视为拳匪也。知财用不足，借重民力，而不知良民迭经搜

178

括，已无余资，不得不量为变通也。……畿辅当残破之余，正供以外骤加巨款，奸胥猾吏从而威逼，臣恐倾家戕命不足取盈，强壮流为马贼，老弱尽转沟壑，平民入教以免苛派，为害滋大。且臣闻通州等处屡以勒赔抗官。宣化府赔款一百四十余万，为数尤巨。缓之，则联军既退，无以应命。急之，则铤而走险，民与官仇。万不及防，又出教案，既痛加剿洗，而事中生事，军务又兴，赔款又添，恐耗费者尚不止此数。与其强勒穷黎而于事无济，何如另筹巨款以拯穷民而弭隐患之为愈也。"

《义和团档案史料》下第122—124页

7月9日（五月十四日）

清政府发布谕令，命直隶总督李鸿章据御史吴煦等折奏，再行体察地方民情，速筹官款揆补民间摊派赔款项以甦民困而容间阁。

【按】上谕云：御史煦奏，直隶各州县赔恤过巨，责令民间摊还，力实难支，请筹官款拨补，民恤民间。又据内阁代递中书许枋条陈：顺直各州县赔恤教案，均派民间指款筹债，为数太多，民不堪命。深州等处因之聚众二十余万人，抗不承捐，恐激事变请将此项赔款并入公家代偿。各等语……兹据该御史等所奏，大致相同，殊深悯念。著李鸿章西行体察地方情形，迅筹妥办，以困而容间阁阁。

《义和团档案史料》下第1232页

7月17日（六月初二）

奕劻、李鸿章奏报畿南义和拳"动辄聚众滋事"，屡经"剿捕"，拳民转往完县、唐县一带；官军追逐，又分股退往博野、祁州、安平等处。

《义和团档案史料》下第1244页

9月7日（七月二十五日）

奕劻、李鸿章代表清政府与十一国特使签订丧权辱国的《辛

179

丑条约》。

【按】其第四条曰："大清国国家允定，在诸国被污渎及挖掘出各坟茔，建立涤垢雪侮之碑，由各国使馆督建，并由中国国家付给估算各费银两。京师一带，每处一万两。"

《外务部档·总理各国事务衙门档案提要·庚子教堂赔款案》

10月（九月）

魏祖德调署广宗县事，"议将放出仓谷收回变价作抵，县绅以为不便，复议按亩摊捐。"

《养寿园奏议辑要十六》

11月20日（十月十日）

广宗县署事魏祖德召集各乡绅入城会商，景愤而拒绝会商。

11月21日（十月十一日）

袁世凯偕同唐绍仪一行数十人，由一营亲兵护送，离济南北上，26日抵高阳。同时，护理直隶总督同馥派人携带总督官印到达。27日接印，设总督府于保定。

11月22日（十月十二日）

景廷宾率领联庄会团勇在广宗城外演习枪炮，向官府示威。

《广宗县志》卷一《大事记》第10—11页

【按】联庄会是地主和自耕农联合组织的武装，按地亩摊派团勇；目的在于保护地方治安。广宗联庄会总团头原为油堡郑安涛，在反抗教案赔款的时候，改推景廷宾为总团头。这时广宗的联庄会已变成一支革命的武装。

年末

袁世凯到顺德府迎銮，并一路护驾回京，得到"穿黄马褂和紫禁城骑马"的赏赐。

袁世凯在给清廷奏折中说："迨臣赴顺德迎銮访闻魏祖德办理不善，立即饬司撤任，旋即参革，并将所摊捐款，全行豁免，月由公家拨给津贴，原冀曲顺舆情，使安分之良民不至附从。"

1902年（光绪二十八年）

2月1日（十二月十二日）

　　广宗县知县魏祖德以"民怨沸腾，几至激变"之由，被参革职，赵锷继任广宗县知县。

　　《广宗县志》1933年铅印本卷一第10—11页。

2月19日（正月十二日）

　　广宗知县赵锷亲带二百久县队到东召村"开导"，妄图迫使景廷宾屈服。景廷宾的代表刘永清态度坚决，声称"中国人誓不交纳'洋差'，钱是不能掏的"。赵锷大怒，愤愤回城，既而请兵。

　　《广宗县地名志·"扫清灭洋"的起义首领景廷宾》

2月25日（正月十八日）

　　顺德府如松到东召"入村晓譬"，景廷宾"匿不予见"。正定镇董履高、大名道宠鸿书等"出示剀谕"，"并派员绅百计讽劝，力保其投诚免罪，仍置若惘闻"。

3月3日（正月二十四日）

　　大名、正定练军血洗广宗东召村。

　　【按】据《广宗县志》载：清军进入东召村后，"焚掠极惨，故乡民仇教而外继仇兵"。

　　清光绪二十八年二月二十六日（1902年4月4日）《张华燕为陈报热河广宗等地起事事致张之洞等电》载："广宗匪剿荡，歼二千余。大名亦有匪警。皆因摊捐起。"

　　《义和团档案史料续编》下第1164片

4月23日（三月十六日）

　　景廷宾在巨鹿厦头寺竖"官逼民反"、"扫清灭洋"旗号，正式宣布起义。景廷宾被推为"龙团大元帅"。是日，戕杀路经

181

厦头寺官弁、委员、新兵五十余人。

【按】关于景廷宾"扫清灭洋"最早的记载当为袁世凯《养寿园奏议辑要》，内云："既如景廷宾，始则传贴聚众，抗官击兵，继则竖旗造反，僭称伪号，甚至有'扫清灭洋'字样。"

《中外日报》（1902年5月28日报导：景廷宾起义"一倡百应，不期而至者约三四万人"。

三月十六日，廷宾复在巨鹿境内厦头村聚众数千人，适武卫左军后营管带鲍贵卿由威县招常备新兵百余人赴省道经厦头，被廷宾伤大半。委员典史钱德葆、附生刘炳勋、千总吕孝申、把总赵登贵、五品赵俊均遇害，贵卿亦负伤。十八日移据件只村，有天主教神甫法人罗泽溥行至威县鱼堤村外，为廷宾党所杀。二十一日，廷宾率众围攻威县张家庄教堂，不克，退保件只。袁世凯以事奏，闻朝命尽法惩治。

《广宗县志》（1933年铅印本）卷一第11页《大事记》

4月25日（三月十八日）

景廷宾移军件只村。

4月26日（三月十九日）

法藉传教士罗泽溥及随从二人，于威县北境的苏庄与刘庄之间，撞遇威县永平保团勇与广宗联庄会，被起义军杀死。

【按】罗泽溥（1852—1902）出生于法兰西，曾在比司加军营任医官，1884年加入耶稣会攻神学，1889年11月18日来中国传教。

4月29日（三月二十二日）

景廷宾起义军诛杀罗教士后，于第四天挥师东进，攻打了位于威县北境的教民村张家庄（当地称之为"老虎张庄"）。由于张家庄教堂已有防备，教民队伍装备精良，且有高墙深沟环绕该村，易守难攻，起义军死伤数百人，终未攻下。

【按】《重修张家庄保善寨碑》载："于月二十二、三日，景匪带领数万匪党，将我村围攻，旗帐飘飘，炮响连天，杀声不断，凶险极矣。"

5月1日（三月二十四日）

起义军拆毁威县军寨村小教堂，戕害教民教士四名。

【按】《汇报》第三七六号载："上月二十四日（5月1日）威县君寨村教堂被毁，死教士一人。近又围攻威县总堂甚急。"

5月4日（三月二十七日）

清政府发布谕令，命直督袁世凯重兵镇压起义军，并实力保护教士教堂。

光绪二十八年三月二十七日上谕："袁世凯奏称：直隶广宗县属匪首景廷宾聚众煽乱，旋经击散。乃该犯逃匿巨鹿，布散符咒，纠合煽惑，分投裹胁，戕害官司弁、委员、新汛兵至五十余人之多。又谋据威县、广宗两城，并有攻毁教堂、抢掠教民情事。本月十九日，有法国教士罗泽溥中途遇匪被害。已飞饬各营赶即扑灭。并令觅获该教士尸身殓恤等语。匪犯景廷宾左道惑人，谋为不轨，著袁世凯迅即添派营队，将该匪擒获，尽法惩治。并将余匪从速扑灭，务绝根株。教士罗泽溥无辜被害，深堪悯恻，著妥为殓恤。仍将各属教堂及教士人等实力保护，毋稍疏虞。此次疏防地方文武官弁着即查明，分别奏参，以示惩儆。钦此。"

清外务部庶务司照会法使："南境现正扰攘，拟请转商法国驻京大臣暂缓派员，俟乱定再往查看为妥。"

【按】照会中说："刻按威县禀报，本月十九日，有法国教士罗泽溥，由赵庄走张家庄传道，正当匪徒滋炽之时，未经知会营县选队护送，路过孙家庄，遇匪被害。现正悬赏购线，觅取尸首。"

《义和团档案史料续编》下册第1175片

5月7日（三月三十日）

张华燕在给张之洞的电文中称，"广、钜匪势蔓延，正定亦有游匪。此事实因广宗令率请剿洗而起，故言者多咎袁。"

《义和团档案史料续编》下册1177片，《张华燕为陈报广宗起事缘由事致张之洞等电》。

5月9日（四月初二日）

清兵马、步、炮四十余营围攻件只，破寨后，杀害义军及村民数千人。

【按】据军机处档案载："良弱妇女适被其殃，每巨炮一声，呼声未毕，身已齑粉者数十人。杀戮之惨不忍殚述。"

又据《重修张家庄保善寨碑》记载，件只被攻破后，"乱党屯聚未散，与诸军战征数镇，而匪毙之数千矣。"

5月11日（四月初四）

新闻报云：接京友飞函知，广宗匪势现聚巨鹿，其众不下四万人之多。上月二十四日（5月1日）威县君寨村教堂被毁，死教士一人。近又围攻威县总教堂甚急。至前次袁宫保新招之勇被匪掳去七十余名，全行所害，并死营官一、哨官二、文案委员一，所派往招新军之候补知县韩廷焕尚无下落。匪首景廷宾当起事时，先杀全家，以坚众志，故其势甚横。袁宫保密奏后，朝廷命派重兵痛剿。即派炮队一营、马队二营、分二十三、二十四两日前往。此军乃张腾蛟所带之自强军也。

《汇报》第376号（光绪廿八年四月初七日，1902年5月14日）

5月16日（四月初九日）

威县赵家庄洋教士万其偈向署清河道袁大化、大顺广道庞鸿书报告："访闻劫杀教士罗泽溥匪首赵洛凤父子，现匿威县境鱼堤村内，请为拿办"。

光绪二十八年四月二十四日《袁世凯奏报剿办威县反教起事情形折》（邢部档）

5月17日（四月初十日）

袁世凯派段祺瑞亲率官兵围鱼堤村。威县令张道源、绅耆申阁梅面见段祺瑞，"且以身作保，谓寨中必无景党"。后段退兵，鱼堤村得免"玉石俱焚之祸"。

【按】据5月31日（四月二十四）袁世凯奏折载："该村人访赵洛风父子等实未在村，原将访拿。正商办间，忽有马弁自村东之李村来报，该处据有匪众，结队剽掠，适南宫县教谕郑杰等奉差经过，已被劫掳入村，请撤兵行退，冀可释放。等语。当以教谕被掳，恐加其害，遂即退兵。该匪等旋将郑杰放出，截留银两各件。"

《义和团档案史料续编》下册第1458—1459页。

5月19日（四月十二日）

段祺瑞亲率官兵围李村（里村），令将滋事首犯交出，义军"闭门抗拒，置若罔闻。义军一股，约数百人，自寺庄方向而来，列阵抬枪，抄袭官军，被官兵打散。"

【按】据5月31日（四月二十四日）袁世凯奏折言："该匪怙恶不悛，四处纠胁，两三日间，集众约五六千人，称为景廷宾复仇。"当段祺瑞、袁大化、庞鸿书去里村剿杀义军时，进入义军三面埋伏。奏折言："距里村二里，该匪徒豫伏三面，一股阻其前，一股由程村（陈村）横攻，一股由村东突出。"但终因官军持有洋枪，义军只有大刀长矛，义军牺牲三百多人。余众四散。

5月24日（四月十七日）

威县义军四五千人谋攻寺庄教堂，段祺瑞督队往援。据《刑部档》记载："匪徒列众迎敌，异常凶悍，枪炮甚多。"由于官兵众多、武器精良，又有马队，义军众寡不敌，被官兵打散。

慈禧太后接袁世凯四月十四日奏折后朱批："著即将善后事

宜妥为办理。此次出力各员，准其择尤请奖，毋许冒滥。仍查明景逆实在下落，并严缉逸匪郝振邦等务获惩办，以绝根株。钦此。"

《义和团档案史料续编》下册1187片《军机片录副奏折》

5月（四月）

顺德府知府窦以箎偕南和县知县朱家宝到广宗县"办理善后"，迫令各村解散民团，将所有武器都缴纳于县公署。各村团头凡参与景廷宾起义者分别逮捕治罪。

见韩敏修《广宗县景廷宾起义始末记》手稿，转引自贾逸君文《关于景廷宾"扫清灭洋"起义的几个问题注解》。原载《光明日报》1960年12月9日史学第201号。

5月31日（四月二十四日）

朝廷在《袁世凯奏报剿办威县反教起事形折》上朱批："著即督饬开导乡愚，毋被煽惑。并严谕各属地方官，勤求民瘼，加意抚循，是为切要。钦此钦遵。"

《义和团档案史料续编》下册第1201片

6月4日（四月二十八日）

上谕著将疏防景廷宾聚众事各员分别惩处。管带大名练军各将马振武著即革职，永不叙用：署顺德府，正任河间府知府如松，著即行革职；署巨鹿县，正任阜城县知县王伯鹅、威县知县程之翰著一并革职；署广宗县知县赵锷著撤任，摘去顶戴；广平府知府岑春煦著即撤任，以示薄惩。

6月8日（五月初三日）

翰林院掌院学士昆岗、孙家鼐奏袁世凯苛派激变、残民以逞，奏请皇太后、皇上简派亲信重臣，复加查核。

【按】昆岗奏折说："杀戮之惨不忍殚述，数县大地，耕农俱废，种种情形，与该督臣报盖迥不相符也，……然细思此事缘

186

起，由该督臣勒捐激变，听谗殃民，而指以符咒惑众，谋为不轨，岂实情乎？……夫事已至此，谓其剿杀为非，则以为患将滋巨也；谓其剿杀为是，则毋乃残民以逞也，……伏恳我皇太后、皇上，简派亲信重臣，复加查核，别求办法，毋任该督臣残民以逞，直民幸甚，天下幸甚。"

6月28日（五月二十三日）

掌浙江道监察御史王金熔奏请治广宗知县魏祖德擅捐激变之罪。

【按】王金熔奏折说："盖乱由于捐，捐由于擅。罪坐所由，则文武官弁之革职、撤任，擅捐者累之；弁员新兵五十余人之遇害，擅捐者酿之；三县地方数千万人之抗官被剿，因剿毙命，亦擅捐者激之……，若皆似广宗之擅捐激变，则时事何堪设想？"

《掌浙江道监察御史王金熔奏广宗知县魏祖德擅捐激变请旨治罪折》（原件藏明清档案馆）

7月13日（六月初九日）

福建道监察御史王乃徵弹劾袁世凯，并请将直隶勒捐激变官弁严定处分。

【按】王乃徵在奏折中说："其中官弁罪状，如广宗知县魏祖德之勒捐生变，总兵董履高之构谗肇祸，统带段祺瑞之惨杀三村，及新盛军统领之先后滥杀，余痛在民，远近传播，……至袁世凯始即失于觉察，逮变乱已成，不务分别莠良，戒止妄杀，惟欲以兵威制服，成此冤滥之象。于以纠参官弁，亦但罪责疏防，又未闻自请议处。是即办理错误于前，因遂怙过饰非于后，事状显然，咎无可掩。……若朝廷遂置不问，何以示刑赏之公于天下？……"

《福建道监察御史王乃徵奏请将直隶勒捐激变官弁严定处分折》（原件藏明清档案馆）

187

7月17日（六月十三日）

景廷宾在河南省临漳县（今属河北省）郭家小屯被捕，旋解至成安县城，不数日，解送到威县。

【按】袁世凯在光绪二十八年六月二十二日（1902年7月26日）给朝廷的奏折中说："兹据该道（按指倪嗣冲）禀称：六月初九日在南宫防次，探得景逆逃至成安县北漳村，复聚匪徒，定期起事。即刻拨队前进，十二日驰抵成安。该逆先期逃逸，其长子景绍汶，经署知县张琨拿获，并另获匪党陈敬、霍添庆等，讯得景逆向河南逃走，有临漳县胡村人冯玉成同逃。该道追踪前往，次日探明景逆在胡村东南四五里之郭家小屯村刘姓家隐藏。即赴该处，将景逆擒获，带回成安，验明无讹。"

《袁世凯奏报拿获景廷宾已尽法惩办折》（军机处录副奏折）

7月26日（六月二十二日）

袁世凯为罗教士被戕案业已议结，上奏朝廷。

【按】奏折言："委冀州直隶州知州吴焘，迭次与教士金总铎往返会议，该教士尚能和衷，除已代为殡殓外，复估拨修祠立碑银五千两，立约议结。"

7月28日（六月二十四日）

景廷宾在威县西关英勇就义。

【按】袁世凯于光绪二十八年六月二十二日奏折中说："臣查景廷宾逆迹昭著，罪不容诛，已批饬照谋逆凌迟处死，传首犯事地方，悬杆示众。景绍汶系景逆之子，陈敬、霍添庆代散传贴，同恶相济，均令就地正法，以彰国典而快人心。"

《中国义和团档案史料续编》，"袁世凯奏报拿获景廷宾已尽法惩办折"

秋

景廷宾牺牲后，南宫东八牌义军仍坚持斗争，后在南宫交马寨遭清兵残酷镇压，无数农民起义军倒在反动统治阶级的屠刀之下。

【按】《南宫县志》（1936年刊本）载："光绪二十五年，山东拳匪骤起。南宫与山东毗连，设坛习拳，杀掠教民，时有所闻。二十七年，各县按亩输捐恤教案。广宗景廷宾聚众抗捐，南宫东八牌亦应之。景廷宾伏罪，而东八牌仍不解散，官兵出之于交马寨，死亡无算。有清一代之变乱止于是矣！"

《南宫县志》卷二十二《掌故志》第十一页

历史学家论赵三多和他领导的义和团

《中国近代史通鉴》节录

戴逸主编

　　1897年，冠县义和拳阎书勤、高小麻领导的义和拳较为著名。1898年，冠县义和拳又与直隶威县、广平等地义和拳联合行动，推举威县"大师兄"赵三多为首领，在冠县蒋家庄（今属威县—编者注）马场起事，首次打起了"助清灭洋"的旗帜，广泛活动于直鲁交界地区，拉开了义和团运动的帷幕。

　　（戴逸　中国史学会会长、清史研究所原所长、中国人民大学教授）

《义和团运动史事要录·前言》节录

  史学界一般认为，可以拿赵三多、阎书勤正式以义和拳名义在山东冠县梨园屯（今属威县—编者注）发动武装起义，作为义和团运动的开端。

  （李文海 中国义和团研究会顾问、原会长、中国人民大学
   校长）

《义和团的旗帜》节录

陈振江

　　1898年10月，著名拳师赵三多、阎书勤在山东冠县蒋家庄（今属威县—编者注）起义时，竖起"助清灭洋"的大旗，成为义和团运动的发端。

《中国近代史新编·义和团反帝爱国运动》节录

陈振江

　　一八九八年十月，山东冠县义和拳首举义旗，揭开义和团运动序幕。冠县与直隶交界的威县等地，是义和拳、梅花拳、红拳活跃的地区，也是民教矛盾激烈的地方。一八八六年，德国传教士至冠县城北梨园屯村（今属威县—编者注）传教，强行拆毁村北玉皇庙，"改建教堂，村人大哗，群起抗拒，文生王世昌、武生阎德胜纠合绅民联名控至县署，继而府、道、抚院。官府畏外人势力，皆为左袒，遂致所有庙基未能收回，村民愈愤"。村民阎书勤，出身贫苦，素习红拳，与本村贫民高元祥等十多个反洋教斗争的骨干，"绰号十八魁"，挺身而出，"号召民众，联络党徒，拟诉之武力，拆毁教堂"，斗争相持长达九年之久。期间出现几次较大的斗争。例如，一八九二年春，教民在玉皇庙基兴建教堂，恐村民拦阻，竟采取"恶人先告状"的伎俩，向冠县投递信函诬控梅花拳队"阻工谋叛"，村民受辱，群情激愤，前往教堂抗议；教民见村民人多势众，闭门不纳，并抛砖石和开放洋枪袭击村民，进一步激起众怒，群起相攻，互有受伤。

　　一八九五年，官府派兵弹压村民，强行拆毁玉皇庙，十八魁立即率众武力抗拒；官府却派一队清军驻村保护教堂、镇压武装护庙的群众。十八魁请求威县著名的梅花拳首领赵三多前来支援，以壮声威。

　　赵三多字祝三，人称赵老祝或赵洛珠，威县沙柳寨人。三多自幼练拳习武，逐渐成为远近知名的梅花拳师。他为人仗义、豪爽，痛恨洋教势力。他应阎书勤、高元祥等人邀请，率领部分梅花拳拳民参加梨园屯护庙斗争。从此，阎书勤、高元祥等十八魁便由红拳改习梅花拳。

一八九六年四月，赵三多来梨园屯摆会亮拳，向地方官府和教会势力示威。当地约有三千多拳民前来参加亮拳活动，震慑了当地教会和封建势力。山东巡抚李秉衡鉴于义和拳势力壮大和教会为恶太甚，便派道、府、州、县大员前去冠县调停。他们商定将梨园屯庙基还给村民修玉皇庙，另在村头给教民新建教堂。这一措施暂缓和了这场持续十年的民教"庙堂"之争。

一八九八年二、三月间，新任巡抚张汝梅迫于外国传教士的压力，派员拆除梨园屯玉皇庙，再次激起村民、拳众的反抗。赵三多为了避免因参与反洋教起事而牵连威县等地的梅花拳，便"不用梅花拳名义，改名义和拳"。从此，赵三多率领的梅花拳、梨园屯地区的红拳、大刀会和其他拳种，大都改称"义和拳"，并广招徒众，练拳习武，积极准备反侵略的武装起义。这年十月，赵三多、阎书勤等以冠县十八村为骨干，率众在蒋家庄（今属威县—编者注）祭旗起义，举起"助清灭洋"的旗帜，"自诩得有神助，能避炮火，有红灯照、蓝灯照等法术，煽惑愚氓，举赵三多为统领，啸聚数千人，蔓延十余县，声势大振，风鹤频惊"。至一八九九年秋，已蔓延数十州县。起义队伍同前来镇压的清军多次搏斗，随后赵、阎为避开清军的凶锋，将起义队伍分成两支分头活动：赵三多率领一支在直隶中、南部活动；阎书勤率另一支继续在冠县一带打击教会势力，不久被捕牺牲。

赵三多、阎书勤领导的"冠县十八团"起义，成为义和团运动的起点。在阎书勤的队伍中还流传着"神助拳，义和团，只因鬼子闹中原。……洋鬼子，全杀尽，大清一统绵江山"的宣传品。这说明，赵、阎领导的冠县义和拳起义已由单纯的反洋教斗争发展成为反对帝国主义侵略的武装起义；也是全国最早以"义和拳"的名义发动的反帝爱国的武装斗争。从此，"义和拳"的名称很快被各地农民组织所普遍采用。

《义和拳运动起源探索·前言》节录

路 遥

在历史上发生于山东、直隶交界的义和拳运动，本来就发生并活动于山东冠县十八村、邱县十八村、临清十八村和直隶南宫十八村、曲周十八村以及威县广大地区。历史就是这样的偶合，上述几个县十八村以及绝大部分村庄，今天恰都划归威县行政管辖。因此，义和拳运动的发源地也可以说主要是在威县地区。

《义和拳运动起源探索》引言

路 遥

　　义和团运动从1898年赵三多率领义和拳起事开始，已整整九十二周年了。它的发展最高峰是在1900年，所以也是二十世纪初被压迫国家中最早的一次属于民族解放运动行列的重大历史事件。我国史学界对义和团运动的研究，自1980年以来已取得重大进展。人们对这场运动的考察已不再停留在原有的水平上，仅从阶级斗争视角去认识它是反帝斗争的一种模式，而是从其历史纵向和横向、从社会诸种矛盾的相互冲突和制约、从其特殊社会环境、独特思想风貌和不同社会结构等方面去探寻复杂的社会成因和运动发展规律。尽管人们对这场运动所涉及的许多领域的评价还有分歧，但不少论著在研究方法上都有所更新，从社会史、文化史角度对这场大规模的群众运动作更广阔而深入的探索，力求对它的复杂性及其发展的内在规律作出合乎科学的论断。

　　研究义和团的运动，与研究太平天国、辛亥革命相比，存在着更大的难度。主要是因为这场运动的最大特点是缺乏统一组织和统一领导。它是多种历史契机和复杂的民族、社会矛盾所激起的下层民众运动的总汇合，其自发性与复杂性要比太平天国、辛亥革命显明得多。它所产生的国内外影响，已非昔日太平天国运动所能相比。它是爆发在十九世纪末中国已趋于半殖民地社会的形成过程中，社会结构有了重大变动，帝国主义势力从掠夺转向瓜分，中国已处在风雨飘摇的民族危机氛围中。它又不象辛亥革命那样有一些卓越的政治家来领导，基本上是从下层群众中迸发

198

起来的运动，传统的社会风格和传统文化的许多因素还起着重要作用。这就使这场运动的民族性与时代性表现得更为特异，是那么不和谐地结合在一起，构成了中国近代史上一次最为复杂的、典型的群众运动。

义和团运动尽管是在民族危机刺激下，融合多种矛盾、集聚各种社会力量形成的，但这并不排斥它在各地的社会成因和历史契机之间存在着某些区别，至少存在有各种矛盾地位主次的差异。各地的社会结构（包括政治、经济、思想文化、社会组织等等）更不可能完全相同，这就使得这场运动的整体呈现出极大的不平衡性和复杂性，给人以"扑朔迷离"、"奇幻诡异"的感觉。为要深入探索义和团运动，有必要从其发生、发展的全过程中划出若干不同类型地区进行具体考察，然后再在此基础上进行综合分析，指明其共性与特性。所以进行区域史研究，乃是对义和团运动进行深化认识必不可少的重要环节。

义和团运动在其形成发展过程中，究竟可以划出多少类型区域？这个问题，史学界至今还没有人很好地探索过。我们通过多年调查，认为在其起源或爆发阶段，主要有三个地区：由大刀会发轫斗争的鲁西南；经神拳使斗争赋有神秘形迹的鲁西北；由梅花拳组织反教会斗争、提出政治性口号而发展为义和拳起事的直隶、山东交界地区。在其发展阶段：主要是在直隶省的新（城）定（兴）地区和涞（水）保（定）地区。最后是汇成运动高潮阶段的天津地区和京畿地区。

关于义和团运动的起源地区，以往论著都说得很简略，无法给人以完整的概念。自六十年代开始，山东大学历史系师生多次深入鲁西南、鲁西北、冀南、冀东南和冀鲁豫皖交界处近六十个县广泛而深入地调查，大致弄清了它的形成过程。1980年出版的《山东义和团历史调查资料选编》一书，以无可替代的调查资料和历史事实指明了义和团运动乃是在以曹州为中心的鲁西南、以荏平、平原为核心点的鲁西北，以及以冠县梨园屯（今属威县——编者注）和威县沙柳寨为联结点的直隶、山东交界等三个主要地区中形成的。1986年美国出版周锡瑞《义和团运动的起源》一书也接受这一说法，他利用山东大学的调查资料并在吸取我国科研成果的基础上阐述了自己的观点。他对义和团起源的观点，在1981年所写的《论义和拳运动的社会成因》一文中论述得最明确，指出义和团运动的形成是由于许多冲突因素在不同社会环境、历史契机下激荡而酝酿出来的，最后汇集在一起，1899年下半年就形成了爆发性的社会活动。他还指出：义和团运动在其酝酿阶段，不同地区对其影响是各不相同的。大致说来，"当鲁西经济衰竭之际，帝国主义的侵略助长了教民气焰，构成了义和团运动的社会背景；鲁西南的大刀会，提供了组织的典型与刀枪不入仪式；冠县的义和拳和十八魁首先打出了义和拳名号，流传下与教民进行长久斗争的英雄典范；1898年荏平水灾后，又与流行于当地为人治病的神拳相结合，至此，才使义和团运动的构成完全具备了。"这段话，基本上正确的，过去我们也持类似的看法。但由于最近我们继续深入调查，发现这样的区分类析并不十分精确。特别是由于我们对直隶、山东交界地区梅花拳（义和拳）组织及其斗争历史的发现，又修正了我们旧有观点。大刀会的刀枪不入与神拳的降神附体，虽然给后来的义和团运动提供了组织的典型仪式，但就这场运动的发生、发展全过程看，义和拳乃是最重要的一支。长期活动在直隶、山东交界地区的梅花拳改名为义和拳，它不仅为运动提供了名号，而且也提供了一个组织典型，在它的内部有较为严密的组织（分为文场和武场），有自己的信誓和在群众中具有号召力的拳术。无论是山东或是直隶的官员，都曾企图把它改变为合法的民团组织，"义和团"之名称首先是由山东地方官员针对这一地区的"义和拳"而提出。后来的义和团运动虽是大刀会、红拳、神拳、梅花拳、义和拳等众拳会斗争的汇合，而义和拳则贯穿于这个运动的始终。所以，义和团运动从某种意义上说也可以看成是义和拳运动的延续与发展。从1887年（光绪十三年）梨园屯所爆发的反教会斗争，进而发展为"十八魁"的出现，1898年（光绪二十四年）又发展为以威县沙柳寨赵三多的梅花拳为核心，将梅花拳更名为义和拳进而倡导义和拳起事，至1902年（光绪二十八年）再由赵三多率领拳民参加景廷宾起义。从1898年提出的"顺清灭洋"、"助清灭洋"口号，最后发展为1902年的"扫清灭洋"口号，大体上能反映出从义和团运动到景廷宾起义的发展过程。

《义和拳运动起源探索》结语

路 遥

　　赵三多、阎书勤所领导的义和拳运动，自1898年秋爆发起义至1900年11月陷于失败，1902年夏赵三多又率领义和拳、梅花拳参加了景廷宾起义，前后历时四年。时间虽然短暂，但意义甚为重大。义和拳运动虽说是甲午战争后、特别是胶州事变后民族危机加深的产物，但从其酝酿看，这场斗争实滥觞于冠县梨园屯（今属威县—编者注）教案。由冠县梨园屯十八魁领导的反洋教斗争发展为冠、威一带的义和拳起义。赵三多、阎书勤为首的义和拳运动，不仅给后来的义和团运动提供了组织名号与政治口号，更重要的是由于它的反抗斗争推动了各地反抗外国侵略势力和封建势力斗争的发展。义和团运动显然是义和拳运动的直接发展。当然，从义和团运动的整体看，它不仅来自义和拳，而且还是大刀会、神拳、红拳会等众拳会斗争的汇合。1900年1月（光绪二十五年十二月）山东巡抚袁世凯鉴于平阴白云峪、茌平刘来寺（玻璃寺）以及清平、堂邑、武城、博平、高唐、临邑、东阿、夏津等地义和拳的发展，对义和团运动的起源有一段描述，他指出："查该匪等自东昌冠县梨园屯一带滋事以后，蔓延于兖州、临清、济宁各属任意滋扰。秋后又自西南绕向东北，先扰平原、恩县、茌平、长清诸属，入冬又环绕泰安、济南各属，以达于东昌老巢。聚散无常、分合难定。"柴萼《庚申纪事》也有类似的说法："东省义和拳创始于嘉庆，……数十年来，人皆视之为邪教。及毓贤任东抚，颇尊信之，于是直隶故城、清河、威县、曲周等处之匪，渐渐南下，流入东昌之冠县，自冠县及于东昌各属，再自东昌、曹州、济宁、兖州、沂州、济南等处潜滋暗长，至已亥（光绪二十五年）夏秋之间，其势大炽，然出没黄河以西，而以直隶为老巢。"这就把义和拳运动的发生、发展过程勾出了一个轮廓。说义和拳起自"东昌冠县梨园屯"，是因为梨园屯十八村属于冠县境属，而冠县又属东昌府辖。当时与冠县十八村相邻的还有山东邱县、临清以及直隶曲周等县十八村。冠县十八村与曲周十八村均与威县的梅花拳中心地之一沙柳寨毗邻，所以又有拳民起自威县、曲周或直隶、山东交界之说。

赵三多、阎书勤首先揭起了"顺清灭洋"和"助清灭洋"的旗帜，继之在各地拳民队伍中又有"兴清灭洋"、"扶清灭洋"旗帜或口号的出现。有了这些旗帜和口号，表明它们的斗争已开始突破了反洋教斗争的局限，将锋芒指向外国侵略势力整体。这些口号虽具有笼统排外的特点，但它却体现了反侵略斗争的实质。在"灭洋"两字之间冠以"顺清"、"助清"、"兴清"，当是民族危机严重的反映，但也不排斥它企图使斗争合法化的意愿。

赵三多的义和拳原出于梅花拳。梅花拳自明末清初成立以来，到赵三多起事已传到第十六七代，有了二百六七十年的历史。梅花拳这个拳会组织从其整体说，虽不是反清复明或具有反封建性质的组织，但集中到赵三多的义和拳队伍中，既有"顺清"、"助清"之拳民，也不乏有"反清复明"的骨干分子和秘密教门、会社组织。到后来，这种民间秘密教门、会社色彩越来越浓，吸引了更多群众的加入。这一支队伍因屡次遭到清政府和官兵的联合镇压，迫使它不得不同官兵展开了激烈对抗。到了后期，同官军战斗成为它的主要斗争目标。

义和拳运动所以能发展并扩大影响于华北各地，主要是当时民族矛盾尖锐所导致，但也同严重的社会危机分不开。它是民族矛盾与社会危机相互交织的产物。义和拳的斗争从其组织力量说，首由"十八魁"发动、领导，继而得到赵三多梅花拳的支持。梅花拳从明末清初以来就已遍布直隶、山东、河南、江苏四省交界地区，具有广泛的群众基础和较为严密的组织。在历史上，它曾经几度掀起反抗斗争的波涛。赵三多在民族矛盾激发下，将组织改名为义和拳。斗争失败后，他又将义和拳、梅花拳余众掩蔽下来，直至1902年夏参加了景廷宾起义。他同景廷宾一样，敢于坚持斗争，敢于献身，不愧为可歌可泣的英雄人物。

赵三多的义和拳，从1898年提出"顺清灭洋"或"助清灭洋"口号到1902年参加了"扫清灭洋"起义，再次说明了义和拳斗争能随形势的发展而不断变更自己的斗争方式。早在乾隆年间（公元1774年）所出现的王伦清水教起义，就以"义和拳"的组织名义号召群众掀起反清起义。事隔一百二十多年后赵三多又继承了这一光荣的组织传统，同样以义和拳名义掀起来了新的反侵略斗争波涛。这说明了由梅花拳变名或以梅花拳为主体的义和拳虽是传统的具有民间秘密教门色彩的会社组织，但基本上还是能顺应历史发展而展开其斗争活动。当然我们不能否认这一支根植于象海洋一样广大的小农经济基础之上的组织，受封建自然经济和农民落后文化的制约，不能突破地域封闭性和组织内部多层次、多派别的局限。小农经济的分散性，使这支具有二百多年悠久历史的组织缺乏严密的统一性。它们受生态环境的制约，只能从传统的释、道、儒三教中按小农生存需要进行粗糙的融合。它们的浅层文化很难使斗争进一步深化。随着斗争形势的发展，它们不能不以更粗犷、更赋有神秘性的斗争方式来体现客观的历史要求。义和拳运动的意义与悲剧，似乎都可以从这一矛盾中去探索其奥秘。

十九世纪末在中国所爆发的这场运动，由于它进行强烈的反抗帝国主义侵略的斗争，曾经震撼了帝国主义世界。从那时以来，不少外国人士都企图对这场运动的奥秘进行探索。当时法国驻华公使施阿兰就有过一段描述："义和团这一运动发源于山东省，首先是因为在中国一直存在着生养不息的秘密会社的缘故，其次是由于最近黄河泛滥所造成的水灾，最后也是主要的，是因德国占领海湾与胶州领土所采取的方式，在山东省所激起的爱国情绪。由于德国对胶州的占领，使义和团运动一方面获得群众的欢迎和尊敬，一方面又获得上下当局——从总督到警吏——的纵容和包庇。他们没有一个不鼓励与声援这种反抗和起义的爆发，反对外国的侵略。"施阿兰的这段话，当发自他驻华公使期间亲自见闻的感性认识。作为义和团运动的韧——义和拳斗争来说，正符合这种情况。探索义和拳运动的起源，似乎可以循此轨迹深入发掘。

（路遥　山东大学中国义和团运动与近代中国社会研究中心主任、山东大学历史系教授）

《义和团运动史研究》节录

路遥 程歗

1898年出现于河北省东南部的义和拳到底是那一支呢？据文献记载看，1898年只有直、东交界的冠县一带有义和拳起事，同时根据调查，这一次起事失败后拳首赵三多、阎书勤等商议为了更有利对付外国侵略者，免于两面受敌，遂公开竖起"助清灭洋"以便更严重地打击帝国主义侵略者。可见"扶清灭洋"旗帜（或曰助清灭洋、兴清灭洋、保清灭洋）口号的提出是从冠县义和拳开始的。

从"六大冤"、"十八魁"到"义和拳"
——对一段口述史料的解释

程 歗

在义和拳的故乡——河北省威县梨园屯（当时属于山东省冠县）一带，流传着一段口述历史；梨园屯的中心有一座玉皇庙，从同治年间起，村民和天主教会为争夺庙基多次起讼，几经反复。这场官司由村里的六位乡绅出面，从县、府一直打到山东巡抚衙门。全村人动了公愤。有八个村民要和士绅们一起去告状，但没有成功。村里人管败诉的士绅和他们的支持者叫做"六大冤"和"八大诉"。因为官府不为民作主，梨园屯的红拳手阎书勤等一批贫苦的玩拳人挺身而出，武力护庙，号称"十八魁"。"十八魁"又投拜到附近威县沙柳寨的梅花拳师赵三多门下。他们把闹教的梅拳、红拳等会社团门联合起来，改名"义和拳"。"义和拳里玩什么拳的都有"，大家"义气相和"，"为了反教汇合在一起"。1898年秋天终于爆发了义和拳的反洋教起事。①

这是一段存活在老百姓经验世界里的历史。它生动地反映了在变动的晚清政治——社会格局中，冠县十八村和威县沙柳寨一带的社区精英群——下属士绅、基层体制内和体制外的民间组织领袖，以及身份和角色都相当复杂的乡镇能人们，在面对西方教会的征服时，是怎样将他们所分别主导的多层民间组织和各种社会力量一圈又一圈地动员起来的。本文把这个动员过程，叫做社区精英的联合和行动。

据官方记载，梨园屯玉皇庙的首次民教争执发生在1869年即同治八年（《教务档案档》，台北文海出版社，458—459页）。当时南国农民起义者塑造的皇上帝主宰太平世的理想刚刚破灭，华北另一场以民间文化为精神纽带的民众抗争，又在民族危机加重和地方政治——社会格局日益复杂所造成的权力空隙中悄悄地蕴酿。晚清的历史脉络，使我们有理由把义和拳运动起源的背景和逻辑追溯到19世纪60年代。

一些中外学者已经阐述过，经过道、咸朝的农民大起义和第二次鸦片战争，清王朝出现了高度复杂化和多元化的政治——社会格局。由于内战冲击造成了地方权力的缺佚和空白，全国各地的地方精英（士绅、商人等）介入了本来由州县官员控制的地方管理事务，在州县政权和基层宗法、里甲体系之间开拓了一种新的活动空间。这里笔者把"地方"的政治地理概念限定在更具微观性的社区（以冠县十八村这一村落群为主），来讨论社区精英群的动向。

山东冠县十八村（实际上为24个村庄），是跨越临清、馆陶，孤悬在直隶威县东南部的一块"飞地"，距离县城130里。在这块"飞地"的周边，犬牙交错地分布着直、东两省6个县属的113个村落，习惯上分别称为某县"十八村"。政治地理的分隔和行政管理的紊乱，强化了社区首领的独立意识。他们积极地参与了战时的社区防卫和战后的秩序重建，从而拓宽了颇具特色的行动领域。

在山东大学研究者的多次调查中，当地老年人对冠县衙门中兴集设立"钱粮柜"制度的印象深刻。中兴集在梨园屯正北，是十八村的政治、经济和文化中心。由于村落群远离县治，冠县衙门委托中兴集的八街会首主管"钱粮柜"，每年分三季代收和上交各村的田赋和糟粮。鉴于纳粮时有一套收缴程序和需要聘用管事（梨园屯有一个姓阎的人曾被聘用），会首们可以从钱粮中提

208

取一些经费，称为"黑税"。这样，中兴集的士绅会首们就介入了州县和各村的里甲之间，充当了某种田粮包税人的角色。

和"钱粮柜"制度对应的是府县官员到中兴集邀约士绅、团总和会首共同议事的社区管理方式。清王朝不鼓励官员们下乡。冠县县令通常是一年甚至每隔两三年才到中兴集巡视一回。县太爷来时，由中兴集两位声望最高的名流——总会首兼团总张凌霄和教书先生张老博迎到钱粮柜附近的乐育书院，接受其他头面人物的参见并共同议事。有时，他们也把各村首领召来聆听训示。在平时，十八村的社区管理职责归这些头面人物担负。这种治理方式，使士绅们议事的乐育书院得到了一个称号："二衙门"。

如上动向显示了社区精英（主要是下层士绅、中兴集会首和新起的团总）的权力拓展。这块粮棉兼种的社区处在农业商品化、乡村集镇化和社会分层日益复杂的历史脉络里，由于国家没有相应的对州县政权的管理职责作出相应的调整，而地方精英在60年代前后的动乱中又表现了维护社会利益的热情和能量，于是他们就全面介入了收纳赋税和维持社会秩序（特别是"防匪"和处理诉讼）这两种最主要的基层权力领域。中兴集会首和十八村团总的权力，明显超越了原来与州县联系的村落里甲体系。这些人"管理各村打官司、斗殴、差役、纳粮"。其中有的团总甚至一反州县和里甲的正规管理，私设公堂，窝藏盗匪，交结黑白两道。这类动向无疑意味了基层权力格局的重大改变。

十八村社区精英拓展权力的年代，恰好和西方天主教势力向这里发动攻势的时段重叠。教会的神父用发放救济粮，为入教的穷人找在教的闺女做媳妇，帮助教民打官司等手段，把那些本来服从士绅会首们管辖的村落或人群网络进来。在我们叙述的历史时段里，天主教的方济各会和耶稣会已经成功地切进了士绅们支配的地盘，不仅在威县及其境内各县的"十八村"中分立出20多个教民村，而且渗透进其他村落和家族的内部（参见路遥《义和拳运动起源探索》，山东大学出版社1990年出版，第二章）。已经变动的基层政治——社会格局因此而更加多元化了。处于社会结构各个层次上的首领，都为争夺有限的物质资源和人文资源而努力强化自己所主导的组织——包括整体组织（团练和里甲）、局部组织（拳会或教会堂口）和边缘组织（地下的或半公开的会道门）。各组织之间依利益关系而互相趋同或彼此对峙。矛盾的焦点是社区精英们分别主导的组织对教会强化渗透的对抗。这些组织在地缘上边际模糊、犬牙交错。在那些教会势力相对薄弱的村落中，在触动社区利益的敏感问题上，最容易迸发冲突。

19世纪60年代，将近300户居民的梨园屯有20多户入了教。教民为了争取一个集体活动的场所，提出要和村民分割玉皇庙的公产。《教务教案档》中保存了这张民教双方模拟大家族分产析户的协议单：村民分得庙地38亩，"圣教会"分得"上带"厅房、破屋的宅基地3亩多，"以备建造天主堂应用"（该书第5辑，459—460页）。应该讲，这份由梨园屯三街会首签署的文件，赋予了教民改庙为堂的合法性。然而，一个具有深刻的社会文化意义的现象是，多少年之后梨园屯村民在叙述这件事时，几乎是异口同声地批评村里的几家教民私分或贪污了神父让他们买地建堂的银子，而没有交公。这种道德谴责，印证了某些文化人类学家对于"集体记忆"特征的解释：选择性和重建性。或者说，人们在陈述过去时所选择的事件，并非限于铺叙过程，而更倾向于将它作为变迁的标志。[2]梨园屯村民的回忆，表达的是近几代人传承下来的对于教会破坏了乡村伦理秩序的焦虑。他们在回忆里溶进了一个强固的价值观：村落公产不容分割。[3]

村庙是村落凝聚和延绵的标志。梨园屯村耕余饭后喜欢在庙前聊天的习惯，初一、十五有鼓乐相伴的上供风俗，特别是每年正月初九的玉皇庙庙会，是村民们的精神依托。士绅会首则是庙产的管理者和庙会的组织者。他们通过组织这种周期性的信仰仪式和娱乐活动，提高自己的声望和维系村落的团结。士绅会首可以将庙基庙产转给义学，因为这不会影响他们的管理权，同时还把自己转化成了教育领袖，但坚决反对异教来侵占。在信仰分裂的背后，是实实在在的利益冲突。

有关论者已经对六位士绅挑头打官司和此后民教冲突逐渐激化的过程作过详细论述。⑧这里只简析诉讼中发生的基层政治的两个动向：

第一，玉皇庙诉讼是士绅和其他乡村能人联合主导的村民集体行动。当时有三位士绅赴县闯府，另三位在村里策划布置，全村"人众心齐"，"敛钱打官司"，以支付这笔旷日持久、开支巨大的诉讼费。官府理案时，村里派出一个号称"飞腿罗三"的"地方"（办事员）来回报信。梨园屯离东昌府180里，罗三跑起来"两头见太阳"——保留在"集体记忆"里这些细节，反映了这场官司是怎样牵动了村民的心。

因此，诉讼和护庙没有明显的时段分隔，这两种行动实际上是共进并行的。其间有两次民教冲突相当激烈。一次发生在1887年（光绪十三年），六位士绅中的左建勋和刘长安带领几百个持械村民，将方济各会传教士运到村里修盖教堂的砖瓦木料"抢掠一空"。这件事惊动了法国公使和总理衙门。在法国公使的抗议信里，这两位社区名流变成了"恶棍"（同上书，458页）。另一次更大的冲突是在1892年（光绪十八年），村民从临清州请来了一个叫魏合意的道士住庙主持，并且把乡团的枪械搬进庙里（同上书，528页）。当时担任会首的是左建勋。这次失败了的行动表明村民反教已经趋于武装化。士绅、乡村能人结合的村内运动开始吸纳外来游民的介入。村内和村外的各种乡士首领结成抗教联合体的趋势开始出现了。

第二，这场诉讼降低了民众对地方政权的认同程度，国家权力和自发的社会权力发生分流。在前述社区精英的活动领域拓展并形成了地方政权依赖士绅团首维系社区秩序的格局里，府县官员在处理这个棘手的案件时需要借助士绅团首及其他乡镇能人们的力量，力图将这种力量调动起来充当调解人。有几条口述史料将冠县知县何士箴的形象描述得很生动：他是个"清官"、"好人"，但对咄咄逼人的教会和"人众心齐"的村民都无可奈何，"两边作揖，解决不了"，"心里清楚"也只好"装傻"。因此他得到了一个绰号："何糊涂"。由于政权统治能力下降和官员权威形象破坏，周旋于官府和闹教乡民之间的士绅和其他乡镇能人的影响力就凸现出来了。1887年的冲突是十八村总团首潘光美出面调停的。为了平息1892年的暴力危机，府县官员把附近村庄以至于邻县的头面人物都请到了梨园屯。他们中有曲周、威县的几位文生武举，冠县十八村小王曲的一位教书先生和陈固村一位没有功名的乡村医生。由于社区精英们不可能同有国际背景的教会势力相抗衡，所以这类调解的意义不在于案件的结果，而在于操作过程中分散在各个社区的精英们开始了横向的和上下的联合。他们通过自己的同年、同行、学生、亲友等人际圈子传播了反教的情绪和情感。1892年事件结案时官府逮走了魏合意，但没有人提出要追究左建勋或"十八魁"的背景和责任。貌似"持平"的调解人，实际上是在应付官府而同反教首领的关系密切。他们维护地方利益和文化传统的认同感促进了社区凝聚力的内卷，拉大了同官府政权的距离。封建国家依靠府县政权同士绅和谐合作以维系地方稳定的纽带变得脆弱了。"非好民之好，恶民之恶，岂能为民父母？"——"六大冤"的质问，表明政权的合法性基础在败坏。1892年的调解失败之后，村民们不再冀望制度化的解决，抗争陡然升级。

在皇权独揽并力图对地方实行严密控制的清代早中期，国家政权对民间的习武风尚及其组织是严加禁止的。仅仅在冠县、邱县一带，乾嘉两朝的刑部档案里就记载了几起拘捕和追索梅花拳。红拳和金钟罩术士的案件。"大刀阁书芹"等一批红拳手在"六大冤"败诉后公开亮相，与前述晚清地方秩序的复杂变动有直接关联。

地方精英权力拓展的一个重要方面是60年代前后地方武装的普遍化。这类武装，是清廷鉴于它的正规军无力对付太平军、捻军和各种地方性起事，而向正式体制外的地方精英求助的产物。清廷军事政策的调整，在南中国造就了由私兵集团起家的湘军及其分化出来的淮军和楚军。这几支部队发展为跨地区作战的主力并进入了清廷的正规军事体制。与此相比较，北中国的地方武装是乡土化和多元化的。国家的兵权一旦放开，在直隶、山东、河南一带的乡土社会，就出现了大大小小的都号称"团练"的军事中心。士绅、拳会以至于某些民间教派的首领都在这面旗子下筑塞自保和发展力量。地方格局和各种民间组织的关系发生了复杂的错动。

冠县是宋景诗起义的地区，也被太平天国北伐军和捻军两次攻破过县城。这一带的地方政权和士绅鉴于无力"御贼"，向教派或拳会中那些维护地方利益的首领寻求合作。冠县十八村的总团首是毗邻中兴集的梁庄豪门武生潘廷桢（前述潘光美的父亲），他联合同村一位只有几十亩地的红拳师杜开德，筑起土围子对抗"长毛"和起事的白莲教。 杜因此获得了"五品衔营千总"的嘉奖（梁庄《杜氏家谱》）。同冠县相邻的馆陶县官府，从禁止民间习武转为奖励习武，把一批精壮的拳手编进县级部队，于是"人民益习技击"。这个县有一个村落的红拳会多次同造反的教军拼杀，事后官府在这个村为62名"捐生殉义"的拳手修了一个祠堂（《馆陶县志》，1939年版）。这种礼遇在前清是绝无仅有的。

体制内和体制外的军事集团这种战时的合作经历拉近了它们在战后的联系。十八村乡团一直存在到20世纪初。这里盗匪如毛。拳会和团练以"自卫身家"为共同目标，使它们得以互生并存。当地的大户多为经营地主，他们比只管作物分配而不问种植过程的租佃地主更关注地方保卫，从而强化了士绅大户对拳会的依赖。拳会努力向体制内的组织渗透。衙役团丁中有许多人是当地的或外来的一些著名拳师的徒弟。十八村的团丁以练红拳著称。他们接受拳师的指导，并在潘团总的组织下穿起"勇"字背心，定期"摆会亮拳"。乡团的示范，使这块本来就是"民强好武"的地区"摆会"成风。中兴集、梨园屯和沙柳寨都是各种拳派在农闲时摆会亮拳的中心。如果没有团练的认可和富户的组织与资助，这种习俗很难传承和流行。这样，正式体制内和体制外的组织、衙役团丁和玩拳人的界限都在日渐模糊。国家严禁"自号教师演习拳棒随同学习"的条例也就丧失了渗透力和权威性。我们在讨论"十八魁"浮现和此后各种反教的民众武装集团四处蜂起的历史现象时，要充分估计这种地方秩序变动的背景。

　　相关论著分析过"十八魁"维护社区公益和乡村伦理的侠义意识及其在义和拳起源中的意义。但更重要的问题在于回答在什么样的社区条件和心理环境中，这种崇尚勇猛斗士的意识才可能上升为主流。"十八魁"的成员基本上是一批贫困户。如果在常态社会，无论是用资产、文化程度和法权的标准来衡量，他们在村落社会生活中都不是主导角色。他们的意识和行为，只会在地方统治失控，基层政治——社会格局日益复杂，体制外的武术集团有条件公开浮现的历史脉络里，才可能得到民众普遍的认同。"十八魁"这个名称就是一种反映社区秩序和民众心态变动的符号。平时，只有武生世家如梁庄祖孙三代都是团总的潘氏，才有资格在门楼上挂一块匾，曰："武魁"。"十八魁"的命名很可能含有"武魁"的启示，表达了他们取代有功名和职衔的名流来维护公益的自豪。士绅的失败使"十八魁"上升为民众心目中的英雄。20世纪初元，他们的事迹被编成了两出地方戏：《鞭花记》和《柳条记》。⑤在戏里阎书芹是主角，"六大冤"是配角。民间艺人用浪漫的形式，表达了乱世评判"精英"的公众尺度发生了变化：实力和任侠的评判准则超越了资产、文化程度和法权的准则。

任何一种意识和行为都根源于经济事实之中。驱动"十八魁"反教护庙的一个深层动因是农村的普遍贫困化。阎书芹靠贩卖私盐维持生计，官盐店的几次干涉打破了他的饭碗，早就积下了一腔不平之气。"十八魁"中有五名是单身汉。阎兆风兄弟穷得住庙煮狗肉，玩世不恭地把吃剩的狗头供在神像的头上。行步如飞的阎兆华（绰号"十老飞"）是一位"侠偷"。富户们怕他放火，不时给一点救济粮。此人"偷远不偷近"，"偷富不偷贫"的"侠义"之风和偷了东西养老娘的孝子形象，使他得到了乡里舆论的宽容。这一批人护庙，与其说是信仰，不如说是贫困。有一位教民后代点出了农村贫困化和民教冲突的某种内在联系："当时的神甫问信教的人为什么信教，他们会说：给钱给粮咱就信教，不给钱我还饿着就闹教！"修盖玉皇庙可以到各村向大户们敛钱。凡是参加拆堂修庙的人有"公饭"可吃。护庙时集体住宿，"敛米做饭"。对洋教霸道的憎恨和解决生计的欲求就这样交溶在一起了。这也是贫困的勇猛斗士的处世方式："好打抱不平，哪儿都能吃顿饭。"

"十八魁"的形象，是几年之后华北大批贫苦的青壮年农民卷进义和团的一种先兆，一个缩影。西方入侵，政权低能，灾荒加深了农村危机，造就了一大批穷则思变的抗争群。他们从服从政治和社会的规范到被迫背离规范，用越轨来自卫。用老百姓的话来讲："村民和教民争执时，谁拳头硬谁就是大哥！"

武装护庙就这样标志了当地的秩序从规范转向了失范。失范不是全无规则，抗争的需要自发地导致人们去寻求"越轨"后的另一种准则。或者说，偏离政治合法性基础的"礼"，而复苏民间文化的"根"。中国传统社会反复出现过一种社会文化现象：越是在失范的时间和空间，那种在平日受到"礼治"压抑的民间文化就越容易凝集和展现，并且按照人们的特定意向得到再创造，成为"越轨集团"的组织和文化资源。只有在这种背景里，我们才能解释"十八魁"为什么没有去联络本社区那些活跃却又散漫的红拳，而自愿改门派，跨社区，去投靠梅花拳。

美国学者周锡瑞的《义和团运动的起源》有许多独到的见解，但对于"起源论"中至关重要的梅花拳的分析却缺乏说服力。他把梅拳描写成和秘密教派没有关系也从未被官方禁止过的"纯粹"的武术派别（该书，169、175、191页）。梅拳、红拳相提并论，表明他在义和拳起源的这部分文化分析上忽略了民间文化的分类和各该文化的特定载体。

清代档案特别是中国学者从60年代到80年代反复进行的实地调查，证明了当时的梅拳是一种"拳教"。这种大约创始于明末清初的组织在传承过程中吸纳了《皇极金丹九莲正信归真还乡宝卷》的相关内容，形成了以经卷、请文，宝印为文化特征的教门形迹，模拟家长制度的师承传统和某些教派共有的文武分场的组织形式（参见路遥《义和拳运动起源探索》第六章）。梅拳分享、占有和改塑了盛行在直东交界一带的教派的文化资源。这个组织在一个很长的历史脉络里得以存在和活动，并非官府对他们特别"宽容"，而主要是他们内部的严密和封闭。梅拳看重治病防身和考功名，禁止江湖卖艺，不准采花问柳，也不同其他教派发生联系，因而减低了徒众的犯案率。即使如此，当地老百姓包括梅拳的后代，都明确地认为当时的这种组织是一个"道门"。《皇极宝卷》包含的创世和救世观念，根据《易》书的太极八卦概念推测未来的神秘主义思维，是许多民间教派的核心意识。而在社会动乱中，这类意识和习武传统相结合，往往构成了武装运动的资源。

"十八魁"投拜的是威县沙柳寨梅拳第十四辈文场师傅赵三多。赵出身于一个由下层士绅转化为农民的家庭。由于60年代以来的社会变动，他的身份是公开的。他的许多徒弟充当了附近各县的壮役捕快。赵作为正式体制外的民间组织领袖，和"六大冤"有过相似的经历和心态，他厌恶洋教，曾运用他的声望特别是凭借那些在衙门里服役的徒弟，"以礼调处"民教纠纷，几次官司，"俱都胜讼"。赵开始对"十八魁"的动武并不赞赏——武德和武技都高超的拳师，从不轻易出手。他相信自己的社会联系比拳棒更为有效。但是，近在咫尺的武装冲突已经展开，另一个拳派的壮士登门求援并行弟子礼，无论是出于地方利益还是乡土道义，都不容他坐视不救。

晚近一些研究者发现，促使赵三多下决心介入玉皇庙事件是一位知名度较低的广平拳手姚洛奇——他在梅拳谱系里比赵长一辈，当时流落在沙柳寨烧窑。赵、姚结合表明当时的梅拳手在阶层结构上的分类和他们之间的关系。大体而言，他们中有一部分是依附于土地的农民和富户，另一部分是失去了土地的流浪人。后一类人游动在梅拳流行的区域打工和教拳，拳规和"行话"使他们得到前一类拳手的周济。他们的辈份和技艺还可能对当地拳师的行止发生影响。姚洛奇这类人敢于抗争，因为他们没有什么可以失去；也敢于流动，因为他们没有同某一地区发生固定联系的利益。任何一种刺激地方变动和全局变动的事件，都可能驱动他们将能量迸发出来。

1897年德国部队占据胶州湾，1898年的黄河下游大漫决和此后将近两年的华北旱灾，构成了多事的世纪之交。胶州湾事件强化的教会的新攻势，也极大地刺激了冠威地区精英群的民族意识。在姚洛奇等人的推动下，决心起事的赵三多为了不连累传承了十几辈的梅拳会，把愿意跟自己走的那一部分拳众改名"义和拳"，以示与血肉般的"祖谱"脱钩，展示了中国侠义文化中那种"壮士一去不复返"的悲壮。

"义和拳是中国人的，信教是外国人的"；"为消民愤，取缔洋教！"——这种朴素的乡村民族意识，凝聚了各有师承和门户的会社团门。

此后严重的水旱灾害在更广袤的华北平原上激起了骚动。处于社会结构边缘地带的更多的教门分子、巫师拳手等流浪人夹在饥民群中四处辐射。当年玉皇庙事件中那种下层士绅、村落能人和外来游民联合行动的势头到处出现并趋于组织化。已经成为反洋教组织主干的大刀会、梅拳和神拳等会社团门之间的组织界限及其文化的社区性、间隔性也随之突破并被重新塑造。在这种时刻，什么样的意识最深入人心，什么样的仪式最简便易行，人们就乐于采用它。这类源多流杂的抗争群在相互认同的过程中，最终形成了主要来自民间的教派文化和民俗文化，又区别于既往民间组织和民众运动的三大标识：1."同心义和"的价值观和体制内外的组织联合"灭洋"的结盟形式（来自冠威义和拳）；2.降神附体的群体仪式（来自鲁西北神拳），3."刀枪不入"的表演手段（来自鲁西南大刀会）。大批憎恶洋教又饥肠辘辘的青壮年农民，操起刀枪、铁铲、粪叉，甚至只在木棍上绑一把剪刀或一柄凿子，到这类组织里登上名，叩个头，就"在了拳，能吃上饭"。

统治衰败，政出多门的清廷中枢和地方政权，没有力量遏制这种四处蜂起的民众组织及其运动。在苦难的华北平原上，到处可遇百十成群的民众武装，到处可见写上了四个大字的旗帜："义和神团"。

2000年5·I假日于中国人民大学静园

218

【注释】

①本文引用的口述史料，基本上出自即将出版的路遥主编的《山东大学义和团调查资料汇编》，文中不一一注明出处。特此说明并向惠借调查手稿的路遥教授深表谢忱。

②参见李放春、李猛：《集体记忆与社会认同》，《社会理论论坛》1997·1。

③梨园屯的一位老人这样解释民教"分家"时村民的失误：他们认为教民要了庙不敢拆庙也不敢再种官地，谁知正合了教民将庙卖给神父的心意。这件材料对于民教双方的心理分析，表明会首们签议时完全没能估计到此后教会的咄咄攻势。1966年2月23日高警世口述。

④论述得最清楚的是三本书：路遥《义和拳运动起源探索》；周锡瑞《义和团运动的起源》，江苏人民出版社1994年版，佐藤公彦《义和团的起源及其运动——中国民众民族主义的诞生》，日本，研文出版，1999年。

⑤这两出戏都取材于玉皇庙事件。前者表演拆教堂时鸣鞭炮为号。后者因参加拆堂的人在草帽下压一根柳枝而得名。

原载2000年第9期《文史知识》

（程 歗　中国义和团研究会副会长、中国人民大学教授）

《深入研究直隶义和团运动的思考》节录

黎仁凯

1898年，直隶义和团运动在这一地区揭开帷幕，打起了"扶清灭洋"大旗。 1902年，这里又高举"扫清灭洋"旗帜爆发武装起义直至失败，标志着义和团运动的终结。这里不仅先后涌现出赵三多、王庆一、武修、景廷宾等义和团著名领袖，而且在四年的时间内，经历了从"扶清灭洋"到"扫清灭洋"波澜起伏的全过程。

（黎仁凯系中国义和团研究会副会长、中国人民大学教授）

赵三多与义和团运动

戚其章

在义和团运动史上，其著名首领人物大都是昙花一现，而能够不屈不挠斗争到底，并身历运动之始终者，恐怕只有赵三多一人。赵三多是义和团运动的一个关键性人物。是他，最先以义和拳名义发动起义，打出"扶清灭洋"旗帜，从而点燃了义和团运动的燎原之火；是他，在起义遭受暂时挫折后，继续深入直隶境内活动，使运动扩展到京津地区，从而将义和团运动推向高潮；是他，和景廷宾一起发动和领导了"扫清灭洋"起义，开始认识到要在斗争中把"灭洋"和"扫清"结合起来。但是，目前史学界对赵三多在义和团运动中的历史地位和作用，还缺乏应有的认识。在许多有关义和团运动的论著中，甚至连他的名字都不提一下，这不仅有欠公允，而且也是不够实事求是的。

赵三多，字祝盛，人称赵老祝（或称"赵老朱"。"赵老诸"及"赵洛珠"，皆其音讹），直隶（今河北省）威县城东三十里沙柳寨人。他出身雇农，青年时扛过活，后到银匠铺学徒，中年以后做过卖盆罐的小生意。自幼爱练功夫，特别擅长梅花拳，是远近闻名的梅花拳教师，徒弟遍及直隶、山东交界的几个县，这便为他后来发动起义提供了有利的条件。

赵三多领导的义和拳起义，于一八九八年十月二十四日（光绪二十四年九月初十）在山东冠县梨园屯（今属威县—编者注）爆发。梨园屯民教矛盾历来非常尖锐，"自同治八年至今，民教屡经构衅，结怨甚深"（《山东义和团案卷》上册，第354

页）。故义和团的第一次起义在这里爆发，并不是偶然的。当时住在附近赵家庄的传教士伊索勒，在日记中对这次起义有着如下的记述："早上六点钟，有人告诉我，义和拳（一种仇教的会门组织）已经起事。这些反叛者，用头帕和长靴做标记。他们的武器为火铳或长矛。旗帜系黄色并镶以黑边，上标'扶清灭洋'四字。"起义的规模虽然不大，却震动了直隶、山东两省。据《冠县志》称："赵三多为统领，啸聚数千人，蔓延十余县，声势大振，凤鹤频惊。"

这次起义突出的特点，一是第一次公开用义和拳的名义发动起义；二是第一次公开打出"扶清灭洋"的旗帜。这是此次起义不同于以往任何一次反洋教斗争的重要标志。此后山东直隶交界一带的大刀会、神拳会、红拳会等群众反洋教组织，皆先后改称义和拳，并以"扶清灭洋"或"助清灭洋"为旗帜。于是，义和团运动作为中国近代一次重要的反帝爱国运动，才得以在全国范围内如火如荼地展开。因此，梨园屯起义实是义和团运动的起点。

赵三多起义后，在清军的进攻下暂时受到挫折，决定将队伍分散隐蔽，秘密发展，以备再起。他先将一般拳众做了分散安置，然后将骨干力量分为三支：第一支，以阎书勤为首的"十八魁"留在直隶，山东交界地区坚持斗争；第二支，朱九斌（自称朱明后裔）、刘化龙（自称刘伯温后代）等到京南一带联络当地的秘密组织，以扩大力量；第三支，赵三多本人率部分骨干沿运河北上，在直南地区活动。

一九〇〇年五月二日（光绪二十六年四月初四），赵三多便又在直隶枣强县卷子镇发动了第二次起义。这次起义，在用武力打击洋教势力的同时，还开展了"均粮"斗争。由于直南一带连年大旱，粮价昂贵，"贫民无以聊生，争相附和拳民，名为均粮，实则仇教"（《威县志》）。此外，"均粮"的对象还包括地主富户，"强令富户均给粮食，不遂所欲，即行抢夺（《山东义和团案卷》下册，第925页）"。可见，这次起义不仅仅具有反帝的性质，而且也带有一定反封建剥削的因素。

赵三多领导的这些活动和斗争，对推动义和团运动向高潮发展是起了相当作用的。

八国联军占领北京后，清政府开始残酷地镇压义和团。阎书勤被捕遇害。赵三多在冠县，威县交界地区活动，也遭到清军包围，伤亡惨重，率残部突围，转移到广宗一带。赵三多从惨痛的血的教训中，对卖国的清政府有了进一步的认识。于是，他便和景廷宾开始酝酿第三次起义。

一九〇二年四月二十三日（光绪二十八年三月十六日），赵三多和景廷宾终于在直隶巨鹿县厦头寺"树旗造反，僭称伪号，甚至有'扫清灭洋'字样（《光绪二十八年三月十九日直隶总督袁世凯折》，《军机处·农民运动》第1860卷）"。"扶清灭洋"口号的提出，即系接受赵三多的建议。据《威县志》称，这次起义"匪惟仇教，势且抗官"，也表明了起义的矛头所向。在起义军中，赵三多不仅参与机密，而且充当先锋。袁世凯于是年二月初八日奏称：赵义军"聚众已至二万余人"，"编列队伍，以黑旗为先锋"（同上）。又据《威县志》载黑旗白边，此旗为威县赵老朱（祝）所用。赵……前年充拳匪头目，率万余人攻威县赵庄天主教堂，未破，死人无数，近又入团匪，图谋雪恨。"于此可知，赵三多余部成为这次起义的一支重要力量。

震惊全国的"扫清灭洋"起义，终被反动势力所绞杀。赵三多在南宫县姬家屯被捕，于七月六日英勇就义，被悬杆示众，卒年六十二岁（一说六十五岁）朱九斌和刘化龙也在永年县被捕牺牲。这次起义的失败，标志着中国最后一次大规模的旧式农民战争——义和团运动，至是乃告结束。

赵三多身历义和团运动的整个过程，发动和领导了三次重要起义，其历史功绩是应该给予充分肯定的。他走过了曲折的道路，屡遭挫折，但失败后从不灰心，而是吸取教训，起来再干，并把斗争提到更高的水平。在他的身上，充分体现了中国人民百折不挠的英勇斗争精神，同时也表现了中国近代民族的日益觉醒，预示着义和团"振兴中国"（《利津县续志》）的理想必定会有光辉的前程。

（戚其章系中国义和团研究会理事。山东史学研究会副会长。山东社会科学院研究员）

《赵三多·阎书勤》节录

赵三多坚持斗争达5年之久，身历义和团运动始终，是起义最早，持续战斗时间最长的一位领导人。 他临危不惧，百折不挠，与帝国主义侵略者和清朝反动统治展开殊死的斗争，表现出中国人民不甘屈服于帝国主义奴役的大无畏革命精神。

（陆景琪　山东大学图书馆系原系主任）

《八国联军侵华史》节录

李德征 苏位智 刘天路

冠县的反教会斗争围绕着梨园屯教案展开。梨园屯教案始于1886年，起因于教会强占庙产修建教堂。在民教双方斗争中，当地秘密结社梅花拳逐渐成为反教会力量的中坚。德国侵占胶州湾以后，梅花拳又与当地其他拳民、村民联结，变称为义和拳，继续领导冠县的反教会斗争。至1898年10月下旬，义和拳聚集二三百拳民，在冠县蒋家庄马场起事，首次竖起了"助清灭洋"的旗帜，揭开了这场轰轰烈烈的反帝爱国运动的序幕，直接地推动了反教会斗争向义和团运动的发展。

（李德征　中国义和团研究会理事、山东大学历史系原系主任、教授）

（苏位智　中国义和团研究会常务副会长、山东大学图书馆馆长）

（刘天路　中国义和团研究会秘书长、山东大学历史系副教授）

《义和团运动在河北》节选

公孙訇

1898年10月伟大的反帝爱国运动首先从河北南部威县地区爆发不是偶然的。著名的历史学家李剑农先生曾说明义和团运动产生的原因有两点：一是"共公的积愤，这种积愤的心理，是由帝国主义的凶恶侵略而来的"。二是"生活的不安"，这种不安的心理亦是由帝国主义经济的掠夺而来的。（李剑农《戊戌以后三十年中国政治史》第26至27页）……李先生分析是有其一定道理的，但是我们还必须看到义和团运动兴起的原因，以及促使义和团运动在河北威县地区率先兴起的种种因素。可以这样说，威县无论在地理位置，还是在历史源渊上，都具备了义和国运动发源地的条件。

威县，地处河北省东南部，与山东、河南交界处相邻，此地区的政治、经济、文化较其他地区比较落后，封建统治力量也相应地比较薄弱，可谓统治势力"鞭长莫及"。另外，威县境内有山东冠县的一块"飞地"即所谓"冠县十八村"，实际上是二十四个村庄（今属威县）距冠县城一百三十余里，它的四周都是威县的村庄或直隶各州县地方，因此冠县对此"飞地"的统治不甚重视。这样的地理位置，有利于革命力量的集聚和起义准备工作的进展，赵三多领导的义和团运动起初就是利用两省军队对革命镇压相互推诿和"此拿彼窜，何处兵少，即在何处滋事"以及"兵至则散，兵去则聚"（《义和团运动史料丛编》第2辑第79页）的有利条件与清兵迂回战斗，终成燎原之势。

227

在历史上，以威县为中心的河北南部州县是反清秘密结社最活跃的地区，自清王朝建立以后，由于实行国内民族压迫政策，任意占有汉民的土地以及繁重的赋税劳役负担，所以以汉族为主体的各族人民在反清复明号召形成了"秘密杂教，畿南为盛"的情形（《新河县志》）。如1812年（嘉庆十七年）李文成、林清所领导的天理教起义失败后，其残余多散布于该地区，此后尽管清政府对诸如白莲教、八卦教等秘密结社屡屡镇压，"断其传习"，但是仍然"私相传授不止"。因此，我们说该地区有着深厚的反抗封建统治的革命传统和群众基础。

其次，河北南部州县也是梅花拳、红拳和义和拳等民间武术普遍流行的地区，自古就有习拳练武的社会风气。这一带村镇在冬闲季节，延请拳师教习武术，因此诸如少林会、大刀会、武虎会、长枪会等名目繁多的武术团体到处皆是，不胜枚举，直到解放后，这种团体还多存在。当时的这种团体多是掌握在乡间中上层人士手中，其口号乃是"练武强身，保家卫国"。然而一旦在朝廷卖国和异族入侵中华之时，他们多怀正义之感而赴汤蹈火，杀奔战场。赵三多起义队伍中就有不少是这类成员。

另外，清政府在镇压太平天国和围剿捻军时期，多次谕令地方举办"团练"，。当时河北南部在举办"团练"上最为著名，其中以大名、广平、清河为最佳，但"器械最为坚利整齐，声势最为联络雄壮，则为清河及威县"（《威县志》）。这些"团练"都程度不同地参加过阻拦太平军北伐和镇压捻军等反清斗争。然而清政府举办"团练"仅是权宜之计，一旦把革命镇压下去，即下令解散。但有的地方官为其维持社会秩序，想方设法保持"团练"的存在。河北南部地区不少州县从史料记载看都程度不同的保有这种武装。随着帝国主义对中国侵略的加紧，尤其是西方基督教势力侵入该地区后，鉴于传教士、教民鱼肉乡里，欺行霸市的行径，"团练"中的大多数人便走上了反洋教斗争的道路，甚至整个"团练"加入了义和团反帝爱国斗争的行列，赵三多将义和拳改为义和团，是与此有关的。

反清秘密结社，民间武术团体和"团练"在威县地区的存在都为义和团运动的爆发在人员组织上准备了条件，所以1898年10月伟大的义和团运动首先在威县地区爆发了。

早在十九世纪七十年代，法国传教士就来到威县境内当时属山东冠县的梨园屯引诱村民入教。经过施舍钱物的收买手段，十几年间才有十余户入了教。时伦敦士想在该村修建教堂，但苦于没有地基，于是便授意教民与村民争夺玉皇庙庙基，经过多年上告，终因清政府及地方官"袒教抑民"，教民胜诉。 1892年教民拆庙建堂，但村民不甘屈服，公推文生王世昌等人，重与天主教讼于山东冠县，县官说惹不起教会又讼于东昌府，知府洪用舟是个"袒教抑民"的洋奴才，不仅对原告"严加责斥"，而且还将王世昌等人监禁起来，于是村中汉教首领阎书勤倡言"武力护庙"，当即十六人踊跃参加，人称"十八魁"。在与天主教斗争中，阎书勤深感人少力单，于是便主动联络附近沙柳寨义和拳首领赵三多以壮声势。

赵三多，河北威县沙柳寨人，青年时他为了练武强身，拜师学了梅花拳，由于"拳术冠群"被推为梅花拳师。为此他广收徒弟，刻苦教拳，成为著名的梅花拳首领。"徒弟二千多人，连师兄带徒侄等有三千多人，慷慨义气，惯打人间不平"（郭栋臣《义和团之缘起》）。在河北山东边境一带广大地区深孚众望。当时在河北山东交界地区有许多拳会，如红拳、义和拳、梅花拳、八卦拳、金钟罩等拳会，其中义和拳和梅花拳声势为大。这一地区的各拳会有时还相互来往，互相渗透，所以不少人同时加入两个或两个以上的拳会，据当地老人讲赵三多除操梅花拳外，还操义和拳，由于他拳技高超，因此义和拳会的人也纷纷拜他为师学练梅花拳。义和拳较梅花拳更具有聚集力和反抗性，这可能就是赵三多脱离梅花拳加入义和拳的主要原因。梨园屯与沙柳寨相距八里，来往十分方便。赵三多非常憎恨外国神甫和不良教民横行乡里，欺压百姓的罪恶行径，早想助"十八魁"一臂之力。但他又考虑到梨园屯归属山东冠县而沙柳寨属河北威县，不便插手此事。后经"十八魁"再三请求，并磕头拜赵三多为师，加入义和拳，赵三多才决定全力相助。

1897年春，不良教民将梨园屯"十八魁"拜赵三多为师且加入义和拳之事报告神甫，神甫要求官府派兵镇压。赵三多听到官府干涉的消息后，不甘示弱，为了显示义和拳的力量，于该年农历三月二十日（1897年4月21日）召集义和拳师徒在梨园屯亮拳三天。"到会者有三千人"（郭栋臣《义和团之缘起》）。他们"短衣带刀，填塞街巷"。赵三多率义和拳向外国传教士和反动教民以及地方官府的示威举动吓坏了地方官员和天主教会，致使"知县何世箴辞职，署事者不敢履往，已数日无官矣"（曹倜《主春草堂笔记》）。此时河北南部州县反洋教斗争，跃跃欲试，不少是在赵三多义和拳反教会斗争的声势力影响下发动的。例如，1898年（光绪二十四年）春，河北南部中心城市大名出现了约于四月十五日与教堂为难的揭贴："各省爱国志士，睹西人无法无天之行为，已决于四月十五日集合，屠戮西人，焚毁其居。其不与我同心一致者，男盗女娼。闻此告示不为传播者，亦如之。"不难看出，这是反帝暴雨即将来临的前奏。

正当此时，狡猾的山东东昌知府洪963舟在新上任巡抚张汝梅指使下，向赵三多等人施用先抚后剿的伎俩，"传到拳首赵三多，剀切开导，晓以利害，即将梅拳解散，并令毋再传单聚会"（陈振江，程歗《义和团文献辑注与研究》）。又赠送给赵三多"直良可风"的匾额。赵三多一时犹豫不决。未几，闻知张汝梅派兵前来镇压的消息，赵三多不畏强暴，立即召集义和拳师徒，共谋迎敌之策。商议时有人劝赵三多委屈求全，赵三多则说：

"我赵三多今日是骑虎不能下背了,我不干,天主教也未必放过我。"他在征得众师徒同意后,昼夜将各路义和拳编成"十人为班,百人为队"的能打仗的队伍,选用受教民和传教士欺压最甚者担任首领。赵三多料事精刻,办事有方,他为了抵塞官府肆意剿刈便打出"扶清灭洋"的旗号。

1898年10月3日(光绪二十四年八月十八日)赵三多与姚洛奇集合义和拳于梨园屯西北十里处的蒋家庄祭旗起义,揭开了波澜壮阔的群众性的义和团运动的帷幕。起义者"用头帕和长靴做标记",他们的武器为"火铳或长矛,旗帜黄色,并镶以黑边,"上标"扶清灭洋"四字〔传教士伊索勒日记,见《中国与西方》)。"起义后,赵三多主动不与官兵接仗,而是首先攻打与临清交界处的黑刘村、红桃园和小里固(今均属威县一编者注)等处教堂,诸战皆胜,队伍扩大到三四千人。清政府闻讯后,惊恐万状,飞饬山东巡抚张汝梅"派兵追缉"。未几,起义军又攻占了小芦教堂,后经临清挥师西进至邱县境内与清军接触,赵三多见清军来势迅猛便主动避开锋芒。当赵率队徐图北进之时,遭到山东五营盛军、直隶正定马队和大名练军五营的包围,双方在威县侯魏村开战,清军马队往返冲击起义军,义军伤亡巨大,姚洛奇等人被俘。赵三多收拾残部杀出重围,经曲周下临清,在留善固稍加休整。清军得逞后,不甘罢休,"以清乱源"为目标"跟踪兜拿"(《义和团运动史料丛编》第2辑第23页)。赵三多面对清军围追堵截的形势,当机立断,化整为零,分散活动。

这次起义的规模虽然不大,却震动了清政府的统治,据《冠县志》记载说:"赵三多为统领,啸聚数千人,蔓延十余县,声势大振,风鹤频惊。"由于山东巡抚张汝梅镇压不力,而被清政府革职。起义军虽暂受挫折,但斗争的影响却十分广泛。据柴萼记载说从此"直隶的古城、清河、威县、曲周等处之匪渐渐南下，流入（山东）东昌之冠县，自冠县及于东昌各属，再自东昌、曹州、济宁、兖州、沂州、济南等处，潜滋暗长。至已亥夏秋之间，其势大炽，然出没于黄河以西，而以直隶为老巢"（《义和团》丛刊第1册，第304页）。随着义和拳反洋教斗争的兴起，河北山东交界处的红拳会、神拳会、大刀会、红枪会和部分团练（亦称乡团）及民间武术团体以及白莲教、八卦教等秘密结社等组织皆先后改称义和拳，在"扶清灭洋"的旗帜下，"同仇敌忾，驱逐洋寇"，反帝爱国运动向着更广泛的地区发展。由此可见，赵三多领导的反洋教斗争揭开了义和团运动的新篇章。

赵三多起义后，在河北和山东两省清军的夹攻下"暂受其挫"，他便将义和拳战士分散隐蔽在同情义和拳起义的乡团中，或改名为"义和团"（《冠县志》），以避免官兵的追剿。从此义和拳的名字为义和团所代替。随后，赵三多率部分骨干沿运河北上，在滹沱河两岸州县开展活动。1899年春，赵三多在枣强、沧州、武邑、晋州一带设场传拳，又派人赴河北中部各州县设场传拳。史料记载有不少村庄"迎山东师兄设场"，这里迎的多是指赵三多的起义成员。赵三多的起义成员在各地设场传拳，为义和团反帝爱国斗争布下了火种。未几，徐水、涞水，清苑和保定周围各州县先后陆续效仿赵三多竖起"扶清灭洋"旗帜，公开与教会势力对抗。由于赵三多一行人的积极宣传活动，终于点燃了河北南部和中部广大地区人民的反帝怒火。5月17日，赵三多召集各州县义和团首领在正定大佛寺秘密开会，据郭栋臣回忆说："在这次会议上，赵三多讲了以往起义失败的原因，部署了今后义和团统一斗争的办法；确定了联络静海、青县、沧州、东光、南皮各州县秘密团体的方针，最后，赵三多与其他首领进行了分工领导。赵三多仍在滹沱河沿岸州县活动，并准备随时起义。"正定会议有力地推动了河北义和团运动的发展，为义和团运动高潮的到来准备了条件。

义和团运动从威县兴起后，很快就蔓延到毗邻衡水地区的冀州、南宫、阜城、枣强、景州、故城、深州、武强、饶阳、武邑和安平等州县。义和团运动之所以如暴风骤雨般在该地区发展起来，除与威县相邻处是与该地区具有悠久的革命传统和深厚的群众基础分不开的。在义和团运动发生前的十几年中，清政府就在此地区查获了一系列的反清案件，如安平、景州一带传习的离卦教案件，故城的义和门拳棒案件，十九世纪初年林清、李文成领导的起义失败后，不少余部又大隐蔽在此地区的各州县。所以，1898年10月赵三多在将家庄举旗揭开了义和团运动的序幕后，同年12月王庆一首先响应，在枣强竖起了"五祖神拳"和"助清灭洋"的旗帜，1899年春攻打了城北肖张镇教堂，起义队伍发展到千余人，他们用红布包头，属乾字团的一支，不久改称义和团。王庆一除留一部继续在本县"滋扰教堂"外，率其他团众赴景州、武邑等县协同该县义和团开展反帝爱国运动，于是枣强义和团"声威日增，势不可制"。

1900年5月，义和团领袖赵三多在景州、阜城一带组织义和团和饥民再次掀起高潮。

在整个义和团运动中，河北义和团运动的地位是首当其冲的，其作用亦是十分重要的，起到了义和团运动旗手、核心和主力军的作用。

《赵三多和义和团运动》节录

公孙訇

第一，赵三多领导义和拳开展灭洋反教斗争的时间较早。准确时间是光绪二十四年八月十八日（1898年10月3日），与四川余栋臣领导的反洋教斗争起义几乎同时，其他反洋灭教斗争皆在其后。由此可见，赵三多是反洋教斗争的先驱，是义和团运动的发动者。

第二，赵三多反洋教斗争活动的区域较广。他的足迹几乎遍及到了直隶省的南部、中部和直东交界处的几十个州县。另外，他还派其战友和徒弟东下山东，北上京津保设场教拳，发动群众，为即将来到的义和国反帝运动布下了火种，起到了播种机和宣传队的作用。

第三，赵三多起义斗争的时间较长。从1898年10月3日，到1902年7月6日近四年之久，在此时期内他以百折不挠地惊人毅力，克服了无数的困难，与中外反动派进行了殊死的斗争，从而经历了义和团反帝斗争的兴起、高潮、低潮全部过程，是义和团运动史上仅有的与其运动相始终的领袖人物。

第四，赵三多出身贫苦，刚正不阿，嫉恶如仇，临危不惧，斗争性强。他不畏强暴，拒绝招抚，揭杆而起；不怕镇压，连续斗争；不怕失败，接连领导了三次武装起义，这种不屈不挠血战到底的英雄气概，代表了整个中华民族的战斗风格，表现了中国人民不甘屈服于帝国主义奴役的大无畏革命精神，不愧为中华民族反抗外国侵略者的伟大的民族英雄。

234

第五，赵三多是战略思想的杰出的义和团运动的领袖。他不仅具有指挥战争的才干和身先士卒的勇敢战斗精神，而且他还富有组织和团结反帝力量和部署与中外反动派斗争的战略思想。首先是他在中华民族与帝国主义矛盾尖锐的时候，提出了"助清灭洋"的口号，这一口号的提出无形中起到了广泛动员各阶级阶层（包括统治阶级内部的爱国官吏和开明绅士）参加反侵略斗争的作用，相应地减少了来自清政府的压力，有力地促进了义和团运动的发展，尽管这一口号后来被清政府利用，然而在当时的历史条件下提出来，确实是难能可贵的。其次，赵三多的才能还表现在战术上，他懂得战争有进有退，而不是孤注一掷地蛮干，因此，他重视保存革命力量，而不作无谓的牺牲，这是他比其他义和团领袖高出一筹的地方。正是这样，他才连续三次起义斗争，为中华民族的历史留下了极为宝贵的财富。再次，赵三多的大智大勇还表现在他对清政府的认识上，在与中外敌人日日夜夜的战斗中，他没有停留在"助清灭洋"的旗帜下，而是从惨痛的教训中逐渐认识了清政府反动卖国的本质和欺骗镇压义和团爱国斗争的行径后，毅然决然地改"助清灭洋"为"扫清灭洋"，并积极联络景廷宾开展"扫清灭洋"的斗争。从"助清"到 '"扫清"反映了二十世纪初年的中国人民对清政府反动本质认识的一个飞跃，认识到了反帝必反封和反封必反帝的革命道理，从而丰富了中国人民民主主义革命理论的宝库，促进了以孙中山先生为代表的中国资产阶级革命派的产生和资产阶级民主革命的爆发。由此可见，赵三多是义和团运动中最为杰出的革命领袖。

（公孙訇　河北社会科学院研究员）

《纪念义和团运动一百周年》碑文 ＊

中 国 史 学 会
中国义和团研究会

义和团运动是中国近代史上一次重大的反帝爱国运动。它以广大农民群众为主体，于十九世纪末自发纷起于山东、直隶的一些地区。从其组织说，最初是由多支拳会汇合而成，赵三多所领导的义和拳是其中重要的一支。义和拳最初活动在当时山东冠县的飞地十八村梨元屯及其相邻的直隶威县沙柳寨一带。梨元屯贫民阎书芹等十八魁为反抗天主教会势力压迫，寻求沙柳寨拳首赵三多支持。至迟在一八九七年（光绪廿三年）春夏，赵三多将其所率梅花拳改名义和拳。一八九八年初天主教会藉德军侵占山东胶州湾而更加肆虐，赵遂重聚拳众于是年八、九月在十八村的蒋家庄马场树"助清灭洋"旗帜宣布起义，义和团运动由此正式发端。它所提出的组织名称与旗帜口号，为山东、直隶许多反洋教的民间组织所接受，运动由此得到迅速发展。义和团运动失败后，赵三多隐蔽于广宗一带，一九0二年四月他又率众参加了景廷宾的"扫清灭洋"起义，成为起义中的一支主力。

二000年10月

＊中国史学会、中国义和团研究会为纪念义和团运动一百周年所立纪念碑的碑文，该碑立于河北省威县的义和团纪念馆。

后 记

经过编者的紧张工作，《义和团之源起》一书终于和读书见面了。本书编印过程中，得到了路遥、程歗、公孙訇等义和团研究专家的鼎力支持。承蒙中国义和团研究会会长陈振江教授为书作序，在此一并表示诚挚的感谢！

因我们掌握资料所限，有些专家的论述未能收录，诚为憾事，容当再版时补充

由于编写时间仓促，加之编者水平所限，书中难免缺点和错误，敬希专家学者和广大读者批评指正。

编者

2000年9月